CHWARTER CANRIF
fesul pum munud

DROS SBECTOL
JOHN ROBERTS WILLIAMS

Gwasg
Gwynedd

Argraffiad Cyntaf — Tachwedd 2001

ISBN 0 86074 183 4

*Cyhoeddwyd ac argraffwyd
gan Wasg Gwynedd, Caernarfon*

Cyflwyniad

Petaech chi'n un o'r bobol hynny sy'n casglu pethau –
wel mae'n siŵr y byddai John Roberts Williams eisoes yn
eistedd yn solat ar y silff uwchben yr holl dedi-bêrs. Mi
fyddai ar silff o'r enw *'Yr Hen Deip o Newyddiadurwr.'*
Brîd arbennig iawn sydd, gwaetha'r modd, yn brin yn y
Gymraeg bellach.

Mae John yn berson arbennig iawn – yn ddyn sy'n
ymddiddori yn y byd o'i gwmpas ac yn adnabod Cymru
a'r Gymraeg fel cefn ei law. Mae'n ddyn sy'n gallu siarad
gyda'i lygaid – maen nhw'n pefrio wrth iddo adrodd ei
straeon ac mae wastad yn mwynhau gwrando ar bobol
eraill yn siarad ag o. Hwn ydi'r gŵr a fu'n Olygydd *Y
Cymro* am 16 mlynedd ac a wnaeth wyrthiau drwy godi'r
gwerthiant i 26,500 o gopïau yr wythnos. Wedi hynny
cafodd ei benodi'n Bennaeth Rhaglenni Teledu Cymru
cyn ymuno â'r BBC; bu'n Olygydd y rhaglen deledu
boblogaidd *Heddiw*; yn gynhyrchydd rhaglenni dogfen
ar y teledu ac yn Bennaeth y BBC ym Mangor. Daeth o
hyd i ddarpar-ddarlledwyr a chyw-newyddiadurwyr ac, o
ganlyniad, mae llwythi o bobol wedi dysgu ac aeddfedu o
dan ei adain.

Golygydd cyntaf Radio Cymru, yr arloeswr Meirion
Edwards, ofynnodd iddo roi'r sgwrs gyntaf dan y teitl
'Dros fy Sbectol.' Pwy fyddai'n meddwl bryd hynny y
byddai John, chwarter canrif yn ddiweddarach, yn dal i
ddod draw i'r BBC ym Mangor gyda'i ddwy dudalen o

sgript yn ei lawysgrifen hyfryd gyda'r pynciau yn amrywio, yn ôl John, 'o bwdin Dolig i Bin Laden?'

I roi'r peth mewn rhyw fath o gyd-destun, ers ei ddarllediad cyntaf mae wedi ysgrifennu ar dros ddwy fil a hanner o droedfeddi o bapur! Mae wedi recordio ar 46 milltir o dâp. Neu – wrth ystyried fod Radio Cymru yn darlledu am 18 awr y dydd – fe ellid darlledu ôl-rifynnau *Dros fy Sbectol* yn ddi-baid am bron i wythnos gyfan!

A dyma ni – seithfed detholiad o sgyrsiau 'Dros fy Sbectol.' Un arall o leisiau cyfarwydd Radio Cymru, y cymeriad ffraeth Gerallt Lloyd Owen, sydd wedi dewis 30 o'r ysgrifau y tro yma; mae'r gweddill yn ddetholiad o ddarllediadau yn ystod y blynyddoedd diweddaraf.

Efallai na fyddai John yn rhyw fodlon iawn i eistedd am flynyddoedd ar eich silff lyfrau – mae'n rhy brysur o lawer i aros yn llonydd! Nid llyfr i aros ar y silff ydi hwn 'chwaith. Mae'n llyfr y gallwch droi ato'n aml, yn llyfr y byddwch yn ei fwynhau ac yn un a fydd yn dysgu cymaint ichi. Ond cofiwch hefyd am ei lais unigryw sydd i'w glywed ar Radio Cymru bob bore Sadwrn a nos Sul.

Diolch o galon i John am ei gyfraniad gwerthfawr dros y blynyddoedd ac i Wasg Gwynedd am roi'r ysgrifau ar gof a chadw.

ALED GLYNNE DAVIES

Cynnwys

DROS FY SBECTOL

Wedi'r Refferendwm	9
Dulyn, Belfast a Derry	12
Cywely	15
Hoffterau	18

O WYTHNOS I WYTHNOS

Cysgodion	22
Awdurdod Iechyd Gwynedd	25
Dysgwyr	28
Dim Cymraeg	31

NOS WENER, BORE SADWRN

Gweld Pantycelyn	34
Y Broblem Fawr	36
Mae Dydd y Farn...	40
Siglo'r Seiliau	43
Trychinebau	46

PUM MUNUD I CHWECH – AC I WYTH

Tragwyddoldeb	49
Sadwrn Syfrdan	51
Tecwyn	54
Dinas Emrys	58

MIL A MWY

Yr Apêl at Hanes	61
Tocyn Siawns	64
Dwyn Mae Cof	67
Bryn Terfel	70

Y Ddinas Ddu 73
L. G. 76
Y Filfed Sgwrs 79

DAL I SBECIAN DROS FY SBECTOL

Y Ddwy Iaith 82
Y Noson Fawr 85
Yr Ergyd 87
'Fo' 90

SGYRSIAU NEWYDD

Geiriau 94
Y Gêm Newydd 97
Clir fel Grisial 100
Trysor Peniarth 102
Cymraeg a'r Coleg 105
Cip ar Hanes 108
Y Llyfrau 111
Tri Charles 114
Jefferson 117
Chwyldro 120
Ergydion 122
Caneuon Ffydd 126
Mwy am Emyn 129
Yr Anfadwaith 132
Mewnfudwyr 134
Cymuned 137
Herald 140
Hen Ffrindiau 143
Berwi Trosodd 146
Y Chwalfa Fawr 149
Corn y Gad 152
Geiriau'r Koran 155

WEDI'R REFFERENDWM

'Ble mae Rhos-y-bol?' meddai rhywun wrth Thomas Williams, Gwalchmai. A dyma'r hen weinidog ffraeth yn ateb yn syth – 'Ym mherfeddion Sir Fôn.' Wel, rydw innau newydd fod ym mherfeddion Môn—nid yn Rhos-y-bol, ond yn Llanddeusant. Ond mi ddof at hynny yn y munud. Ac mi ddof yn ôl hefyd at un o broffwydoliaethau John Williams Brynsiencyn. 'Os bydd y Gymraeg farw, yn Llanfair-yng-Nghornwy ar Ynys Môn y clywir ei geiriau olaf hi.'

Ond cip yn gyntaf dros Glawdd Offa. Mae gan y Saeson hefyd eu mawr ofidiau. Yn un peth mi fethodd ceffyl y Frenhines ag ennill y Darbi—ond mae'n ddiau y daw'r genedl tros ei phrofedigaeth. Y boendod arall ydi i ormod o bobol y cychod o Fietnam gyrraedd hyn o ynys, ac iddyn nhw, wedi arbed eu hunain rhag boddi, ymuno gyda'r tylwythau o Pakistan ac India i foddi'r Saeson. Ond am bob creadur truan o Fietnam sy'n cychwyn yn ei gwch ac yn cyrraedd Lloegr, mae 'na deulu cyfan – oes, deuluoedd – o Saeson yn llusgo eu cychod tua Chymru bob diwedd wythnos a llond gwlad ohonyn nhw hefyd wedi prynu cartrefi, am brisiau uchel iawn, ar hyd y traethau. Y rhain ydi pobl y cychod fydda i yn eu gweld.

Poendod arall – ar wahân i gadw addewidion a wnaed yng ngwres etholiad – ydi ynni. Yr hen Geoff Howe yn sgwario i osod homar o dreth ar y petrol—a'i godi eto i dros bunt ymhen yr wythnos? Mi gawn ni weld. A'r poendod arall eto fyth ydi Ewrop. Doedd calon Jim Callaghan na Maggie Thatcher ddim yn yr Etholiad

Ewropeaidd ddydd Iau. Tasa nhw'n geffyl a chaseg yn rasio am Ewrop fuasai'r un o'r ddau byth yn cyrraedd. Doedd yr ymgeiswyr ddim yn apelio cyn gymaint â hynny 'chwaith. Doedd hi ddim yr un fath â lecsiwn, yn nag oedd? Yn un peth, nid dewis Llywodraeth oedd yn digwydd ond dewis Senedd – ac mae hynny'n beth diarth. Ac mi atebodd yr etholwyr trwy aros gartref.

Yng Nghymru'n arbennig mae pobol wedi 'laru ar fotio a chanlyniadau'r refferendwm yn aros fel rhyw hunllef yng nghefn y cof. Dyna'r ergyd gyntaf. Yna, fe ddymchwelwyd yr hen radicaliaeth wleidyddol a fu mor agos at galon Cymru am gan mlynedd. Ychwanegwch y tywydd, yr ansicrwydd ynglŷn â dyfodol y Brifwyl; yr ystadegau am y dylifiad sydd wedi gorchuddio'r Gogledd fel y gorchuddiwyd y De yn y ganrif ddiwethaf; problem yr iaith yn yr ysgolion, ac mae gynnon ni rysêt benigamp ar gyfer digalondid.

Rhaid osgoi digalondid. Un peth ydi wynebu ffeithiau ond peth arall ydi digalondid. Mae 'na lawer iawn ohonon ni'r Cymry Cymraeg ar ôl, wyddoch chi. Ac fe all 'na chwyldro ddigwydd cyn diwedd y ganrif. Fel enghraifft mae hyd yn oed yr Undebwr mawr Clive Jenkins yn ei gyfrol *The Collapse of Work*, yn derbyn y bydd yma, o ganlyniad i'r dechnoleg newydd, bedair miliwn heb waith – a'r nifer ar gynnydd cyson – ymhen deuddeng mlynedd. Ac y bydd yn rhaid i ni – mi fydd yn rhaid i Ewrop – ailystyried ein ffordd o fyw. Mi fydd hamdden a diddordebau yn broblem newydd enfawr. Yn wir, fe awgrymwyd eisoes y gallasai oed gadael ysgol godi i bump ar hugain. Mae'r byd newydd ar y gorwel, ac yn hwnnw tybed na fydd pobol yn *chwilio* am bethau i'w diddori, pethau i'w cadw a'u hanwesu er eu mwyn eu hunain, fel y mae pobol feddylgar yn ei wneud heddiw efo cefn gwlad, mynyddoedd, corstir, coed, blodau, hen geir, hen greiriau, adar ac anifeiliaid, hen adeiladau, hen grefftau, a hen ddiwydiannau lliwgar. Tybed na allasai'r Gymraeg fod yn un o'r pethau hyn? Pam lai?

Mi awgrymodd Emyr Daniel yn *Y Faner* am i ni gael ffrynt radicalaidd, lydan, i'n cynnal ni. Ond anodd iawn ydi cael pleidiau i gydweithio. Angen mawr Cymru ydi *un* dyn neu *un* ddynes. Un dyn a greodd yr Urdd a'r Steddfod; un dyn a greodd ŵyl Llangollen; dyn neu ddau a gadwodd y Brifwyl trwy'r rhyfel. Un dyn oedd O. M. Edwards. Un dyn oedd Williams Pantycelyn ac un oedd Howell Harris.

Un person oedd Crist ac un oedd Mohamed. Un dyn ydi'r Pab sy'n cynnau coelcerth yng ngwlad Pwyl y dyddiau hyn. Un dyn oedd Luther. Un oedd Cromwell, oedd Lincoln, oedd Napoleon, oedd Mao Tse Tung. Ie, un dyn oedd Hitler. Oes 'na *un* yng Nghymru? A gyfyd 'na un – un Arthur arall?

Os daw, fe barheir i siarad Cymraeg yn Llanfair-yng-Nghornwy, lle mae hi'n marw. Ac fe'i diogelir hi fel y diogelodd Mrs Williams yr hen felin flawd a'i holwyn ddŵr a welais i ddoe yn Llanddeusant, a hynny am mai hon, Melin Hywel, yw hen felin y teulu. Does dim problem ynni yma a'r hen iaith yn dal i gael ei chlywed o'i chwmpas hi, pan fo isel sŵn y malu.

Canys ni ddaeth y diwedd eto.

DULYN, BELFAST, DERRY

Rydw i newydd dreulio bron i wythnos yn Iwerddon. Mynd yno ar fy liwt fy hun ac er fy mwyn fy hun – a chwithau, gobeithio. Ddois i ddim yn fy ôl yn holl-ddoeth; welais i mo bopeth, ond mae gen i well crap ar bethau.

Roedd 'na wraig o Chicago ar y cwch o Gaergybi i Ddulyn ac ar ei deunawfed ymweliad ag Iwerddon er pan adawodd hi Tipperary ym mil naw dau wyth. Roedd hi'n cofio'r adeg pan oedd naw deg pump y cant o heddlu Chicago yn Wyddelod, sy'n ddrych o'r mawr ofidiau ac ymfudo a fu o'r ynys honno sy'n dal i ddenu'r wraig yn ôl.

Ar y trên o Ddulyn i Belfast, geneth ysgol yn dweud wrthyf ei bod hi reit o'r tu allan i Glwb Cymdeithasol pan daniodd bom yno. Doedd ganddi hi ddim ymlyniadau sectyddol, a dywedai fod y Wasg yn gwneud i bethau edrych yn waeth nag ydyn nhw, fod busnes yn dioddef, a'r sefyllfa am waethygu eto cyn y bydd pethau'n gwella.

Ces fy ngwasgu i un o'r ddau dacsi a fentrodd fod o'r tu allan i'r orsaf yn Belfast. Y stop cyntaf oedd i ollwng nyrs ifanc wrth Ysbyty Brenhinol Victoria. Nos Sadwrn oedd hi. Fore Sul cafodd plismon ei saethu'n farw yn yr union le.

Roeddwn i'n aros ynghanol yr ardal Gatholig a helbulus sy'n cynnwys y Falls, Andersonstown a Ballymurphy. Yr unig fysus yno oedd y 'sgerbydau a losgwyd ac a adawyd i hanner blocio cegau'r strydoedd, ond na lwyddodd haid o Sipsiwn llygadog, hyd yma, i hel

12

eu haearn nhw i'w gwersyll yn y Falls at lawer lori, fan, a char arall a daniwyd.

Mae 'na wrymiau ar y strydoedd i arafu ceir – yn arbennig y rhai sy'n ceisio dianc – a'r blociau concrid, sydd yma ac acw, yn sylfaen i'r bariau a osodai'r fyddin ar funud o rybudd i stopio pob mynd a dod.

Yn lle'r bysus, ceir peth mwdredd o hen dacsis yn hercian fel rhyw chwilod duon ar hyd siwrneiau'r bysus diflanedig, gan godi'r un tâl yn union â'r bysus.

Does dim plismyn na milwyr yn y golwg yn y bröydd hyn hyd nes i helynt godi, ac mae pob gorsaf heddlu yn Belfast wedi ei hamgylchynu'n llwyr efo weiar netin – gan gynnwys y to.

Ychydig lathenni o'r lle'r oeddwn i'n aros roedd yr unig ysgol yng Ngogledd Iwerddon lle dysgir y plant trwy'r Wyddeleg. Pump a deugain o blant: pymtheg yn yr ysgol feithrin, ac addysg gynradd i'r gweddill. Mae'r holl le'n cael ei gynnal yn wirfoddol, a llywodraeth Gogledd Iwerddon – un Prydain yn y pen draw – yn gwrthod rhoi'r un ffadan beni o grant. Mae tri ar ddeg o dai hefyd wedi cael eu codi gan gefnogwyr yr ysgol a'u gosod i deuluoedd a'u plant sy'n siarad Gwyddeleg.

Yng nghanol Belfast does dim trafnidiaeth, ar wahân i'r hyn sy'n hanfodol. Mynd a dod rhwng y barrau. Dim mynd i siop heb gael eich archwilio. Dim car na pharsel na phac i'w adael heb ei warchod. Mae'r muriau'n frith o sloganau fel 'Provos Rule OK' yn y fan hyn a 'Burn in hell – Bobby Sands' yn y fan acw.

Mynd, wedyn, fore Sul i wrando ar Ian Paisley yn pregethu yn ei eglwys oludog sy'n dal tair mil, a lle ceir tri gweinidog cynorthwyol a chasgliad o bymtheg cant o bunnau bob Sul.

'Let's have a quiet collection,' meddai'r gweinidog – sef un heb sŵn ond siffrwd arian nodau!

Does dim angen propaganda yn yr oedfa gan fod y gynulleidfa – merched trwsiadus yn bennaf – wedi eu hachub eisoes. Ambell broc gan Paisley drwy gyfeirio at y meicroffonau'n strancio gyda'r sylw fod eu sŵn nhw 'fel y Pab yn pesychu' – a hyn gan un sy'n 'bab' ei hun! Y fo sefydlodd y sect gyda'i thrigain o eglwysi Presbyteraidd Rhydd. Yr oedfa yn un efengylaidd ffwndamentalaidd a'i huchel-Galfiniaeth – gan gynnwys etholedigaeth – yn sylfaen mor hwylus i'r wleidyddiaeth ag a oedd hi i Cromwell, sydd, ar un ystyr yn sefydlydd y Methodistiaid Paisleyaidd.

Tu allan i'r tyndra sydd ym mhobman, mae'r papurau gweriniaethol yn chwythu'r tân â llun o Carol Ann Kelly, ddeuddeg oed – a laddwyd gan fwled plastig – yn gorwedd yn ei harch, yn wyn, yn lân, yn llonydd. Mae plant Belfast yn hel bwledi plastig. Roedd gan un plentyn bymtheg ar hugain o'r rhain, sy'n bedair modfedd o hyd, fel darn caled o india roc, ac mi fu yn fy llaw i.

Mae llawer carfan a beirniadaeth sy'n ymestyn hyd at Weriniaeth Iwerddon a'r Eglwys Babyddol ei hun am eu bod yn sefyll yn ormodol o'r naill du a rhai am roi mwy o bwys ar gael gwaith nag ar gael *un* Iwerddon. Eto, yn Andersonstown, mi glywais i regen-yr-ŷd yn y caeau.

Mynd wedyn ar y trên o Belfast i Derry – y dref a roddodd y Brenin James i ddinasyddion Llundain, a'i bedyddio yn Londonderry – a'r drain gwynion wrth ochr

y lein ac yn y caeau a'u blodau yn amdo gwyn dros
Ulster,

Mae Derry yn y Gymraeg yn golygu derw. Mae'r deri
wedi mynd ac mae'r mes yn Belfast, ond y dalaith ei hun
yn wyrdd gan wanwyn rhwng ei dyfroedd a'i llynnoedd.

> Ynddi tardd afonydd bywyd,
> Trwyddi llif afonydd hedd.

Ond ffrydiau digofaint sy'n dyfrhau ei bröydd heddiw.
Y plismyn a'u gynnau ar strydoedd Derry; drylliau'r
milwyr yn bygwth o dyrau'r cerbydau dur a'r crochan yn
berwi. Hen ddociwr o Creggan yn dweud wrthyf na fedr
yr ymgyrchu stopio mwyach nes cael y maen i'r wal. Pa
faen? I ba wal?

Fel y mae Iwerddon yn dal i ddenu'n ôl yr hen wraig
honno o Chicago mae Iwerddon hefyd yn galw'r plant.
Yr utgyrn lledrith a'r pibau hud yn galw, galw:

> *the pipes…*
> *the pipes are calling, from glen to glen*
> *and down the mountain side.*

CYWELY
16 Gorffennaf 1982

Ys gwn i faint ohonoch chi'r gwŷr sy'n codi o'ch gwlâu
gefn trymedd nos ac yn hel eich traed i rywle heb i'r
wraig ddirnad i ble ar wyneb y ddaear yr ydach chi'n eu
hel nhw? A beth ddywedai'r wraig yn y bore pe bai'r gŵr
yn cydnabod mai ym Mhlas Buckingham y buo fo, ac yn

cael sgwrs bach efo'r Frenhines. Mi swniai'n stori ryfedd iawn, oni wnâi?

Ond o bob peth annisgwyl a ddigwyddodd eleni – a'r llynedd, ran hynny – y stori fwyaf anhygoel ydi honno... Wel, oni chlywsoch chi *honno* dydach chi'n clywed dim. Ac yn y bedrwm brenhinol y buasai'r creadur dyn hwnnw o hyd, am y gwela' i, pe na bai o'n dipyn o smociwr, ac yn smociwr heb ffags. Dyna ddifethodd yr anturiaeth fawr. Y Frenhines ddim yn cadw pacad o *Players* dan y gobennydd ac yn gorfod canu'r gloch am un o'r gwŷr traed – os mai dyna ydi 'footman'.

Fuo 'na *erioed* stori fel hon. Ac mi fedra i feddwl am y stryffîg sydd 'na yn swyddfeydd y papurau newydd poblogaidd yn Fleet Street – heb sôn am yn yr Almaen, ac yn arbennig yn Ffrainc – ar sut i gael y stori yma ar ddu a gwyn wedi i beth bynnag ddigwyddith i'r creadur dyn orffen digwydd. Pwy gaiff ei stori *lawn* o – ac am *faint*? A phwy tybed sy'n barod i *fentro* ei chyhoeddi hi yn y wlad hon?

Beth, tybed, oedd y Frenhines yn ei wisgo? Oedd ganddi hi gap nos? Sut gwilt oedd 'na ar y gwely? A ble roedd y Tywysog Philip?

Fûm i 'rioed mewn plas brenhinol lle mae 'na frenin a brenhines yn dal i fyw, a does 'na fawr ohonyn nhw ar ôl, yn nagoes? Ond mi fûm yn Versailles. Yn yr hen blasty brenhinol gorwych, sydd heb fod nepell o Baris a lle mae stafell wely'r brenin ac un y frenhines gryn bellter oddi wrth ei gilydd. Am flynyddoedd wedi iddo fo briodi mi fyddai Louis y pedwerydd ar ddeg – y brenin roedd y Bardd Cwsc gymaint am ei waed – yn dilyn traddodiad.

Pan fydda fo'n mynd i stafell wely'r frenhines yn y

nos, mi fydda'n galw ar ei weision, a'r rheini wedyn yn ei arwain o yn ei goban, a'u fflamdorchau yn eu dwylo, ar hyd y meithion goridorau tua'r fan; a'r holl haflug oedd yn byw ar y brenin yn ei blas wedi cael testun sgwrs at fore trannoeth. Mi flinodd y brenin ar y math hwnnw o sgwrsio ac mi dorrodd lwybr newydd dirgel o un stafell wely i'r llall rhag i neb fod ddim callach. Ffordd fwy union a mwy dyrys na ffordd y dyn 'na yn Llundain, fuaswn i'n meddwl.

Mewn gwely *mawr* y byddai Harri'r Wythfed yn cysgu – digon mawr i'w wragedd i gyd fod yno efo fo, 'tasa nhw i gyd ar gael ar yr un pryd. Ond doeddan nhw ddim. Ac ar noson y briodas – a'r priodasau – roedd cael y ddau i'r gwely mawr yn un o seremonïau mawr y plas. Gyda llaw, un rheswm paham y cafodd yr hen Harri wared ag un o'i wragedd oedd am ei bod hi'n bwyta bisgedi yn y gwely mawr, a does 'na ddim byd gwaeth na briwsion danoch chi a chithau'n trio cysgu yn nag oes?

Mae'r hen arferion, ysywaeth, wedi mynd. Ac efallai fy mod innau ar fai yn gwastraffu fy munudau ar y stori yna ond fydd 'na 'run debyg iddi hi byth eto, mae'n siŵr gen i. A dydw innau'n ddim ond cig a gwaed.

A pha mor barhaol ydi stori pa un bynnag? Ydach chi'n cofio blwyddyn i Ŵyl Ddewi ddiwethaf – 'ta dwy flynedd, oedd hi deudwch? Y stori fawr bryd hynny oedd datganoli. Doedd 'na sôn am un dim ond am ddatganoli a refferendwm! Wel, yr wythnos diwethaf o wythnosau'r byd dyma'r SDP yn atgyfodi'r stori ar ei newydd wedd. Datganoli i bawb – nid o bobol y byd, ond i bawb ym Mhrydain. Dwsin o Seneddau. Un arbennig i'r Alban. Un lai arbennig i Gymru – ond gyda Phrif Weinidog.

Mi fûm i'n disgwyl yn amyneddgar am yr ymateb ond yn ofer. Mi fu 'na wneud sbort am ben y cynllun yn y papurau poblogaidd, sylw wrth basio yn y papurau cyfrifol, a distawrwydd llethol yn y wasg Gymraeg. Faint oedd 'na am hyd yn oed esgyrn y cynnig yn *Y Faner* ac yn *Y Cymro*? Dim ebwch. Dim llythyren. Dim.

Pryd felly mae stori yn dal yn stori?

HOFFTERAU
5 *Medi 1982*

Tybed a fedrwch chi fy nioddef am unwaith yn sôn am hen hoffterau – parhaol a darfodedig – a hynny yn y dyddiau digofaint hyn lle mae pob newydd sy'n cyfrif yn nodi faint o weithwyr Cymreig a drowyd ar y clwt; ac roedd wyth gant a hanner ohonyn nhw ddydd Mercher? Wnewch chi ganiatáu i mi hefyd osgoi Cyngres yr Undebau Llafur – yr holl gant a naw ohonyn nhw – efo'u simsanrwydd ar y bygythiad niwcliar; eu niwlogrwydd ar y dechnoleg newydd; a'u pendantrwydd ar eu graddau cyflog? Ga i droi am ennyd fer i sôn am bethau diffaith fel criafol, criced a menyn bach?

Mi biciais i'r dre gyfeillgar honno, Porthmadog, bnawn Iau. Mynd trwy Ryd-ddu a Beddgelert ac Aberglaslyn er mwyn i mi gael ffarwelio am eleni â'r grug sy'n gwaedu i farwolaeth ar Gastell Cidwm a'r Gymwynas, ac i ryfeddu a rhyfeddu wrth edrych ar y criafol, cochach na choch, yn eu cefndir o ddail glasddu. Mae'r criafol, fel y grug, yn un o'r hen drigolion. Roedd y rhain yn fflam dân ar gyrion y mynyddoedd cyn i'r

Rhufeiniaid ddod yma, a chyn i ninnau'r Celtiaid ddod chwaith. Ac mi synnech cyn lleied o'n coed ni sy'n rhai brodorol. Nid yn unig mae'r pinwydd a'r ffawydd a holl gynhaeaf y Comisiwn Coedwigo wedi eu cartio yma, i anrheithio, ysywaeth, Wynedd efo'u düwch dieithr a hynny o Nant Gwrtheyrn a hen gorsydd cyfarwydd Eifionydd hyd at lethrau Eryri. Ac mi synnech cyn gymaint o'r coed eraill – gan gynnwys y masarn – sy'n estroniaid. Mae'r griafolen, fel y dderwen, yn frodorol, ond o'r coed bytholwyrdd, prin bod 'na rai cartref o gwbwl ar wahân i'r ywen a'r gelynnen.

Coeden arall a fewnforiwyd ydi'r helygen, ond mi ddefnyddiwyd ei phren hi ar gyfer gêm anhygoel a elwir yn griced. Mae'n rhyfeddol fod pobol mor ddi-ddychymyg a diorfoledd â'r Saeson wedi dyfeisio gemau fel criced, pêl-droed, a rygbi. Gan mlynedd yn ôl fe chwaraewyd y gêm griced gyntaf rhwng Lloegr ac Awstralia a chafwyd gêm i ddathlu'r amgylchiad yr wythnos hon. Gêm oedd hi a orffennodd fel pe na buasai, a hynny am na fedr y Saeson, eto, fynd i ysbryd y darn y maen nhw eu hunain wedi ei gyfansoddi. Ond o gwmpas criced – sydd mor gymhleth a swynol â'r cynganeddion ac mor annisgwyl ei rediad â bywyd ei hun, mi dyfodd 'na chwedlau a llenyddiaeth. Mwy o atyniad na'r gêm rhwng y ddwy wlad oedd y fflyd o hen chwaraewyr a hen gapteiniaid a ymgasglodd yn Llundain. Roedd rhai dros y deg a'r pedwar ugain ac yn pontio'r gagendor rhwng W. G. Grace a Don Bradman. Roedd gwrando ar y rhain yn hel straeon yn brofiad i'w gofio. Eu clywed yn nodi pob symudiad, pob sgôr mewn hen ymrysonfeydd, hanner cant, trigain, a bron i bedwar ugain mlynedd yn ôl. Y sglein yn dod yn ôl i'r llygad; ac os oedd y clyw yn drwm roedd y cof yn dal. Ni fedraf feddwl am ddim tebyg yn digwydd yng Nghymru, ar wahân i seiat o'r hen hoelion wyth, dyweder, o John Jones Tal-y-sarn hyd at Philip Jones, yn trafod hen gyrddau mawr; neu'r Gorseddogion o Ddyfed hyd at Cynan yn ail-fyw yr hen eisteddfodau.

Mi ddaw'r criced, fel y gog a'r wennol, yn ôl y flwyddyn nesaf eto, ac mi flodeua'r griafolen unwaith yn rhagor. Ond beth am y menyn bach?

Ym mil wyth naw dau, blwyddyn cyhoeddi *Cymru'r Plant*, mi adawodd Harri Parri, brawd fy nain, ei ffermdy ar lethrau Brynengan ar gwr Eifionydd i fynd i'r Merica – i Oregon. Cychwyn am Lerpwl ar y trên o Gaernarfon. Ar wahân i'r teulu, mi wn fod ganddo botiad helaeth o fenyn hallt oedd wedi ei gorddi ar ffarm Tu-hwnt-i'r-mynydd. Mi fûm innau'n troi'r corddwr ugeiniau o weithiau ac yn gwylio fy mam yn gwneud menyn, ac yna'n cael y llun, a dorrwyd i'r cwpan pren, yn brintan ar ei wyneb. Menyn bach, melyn, a mymryn o halen ynddo fo oedd hwnnw. Mae'r noe a'r hen lestri gen i o hyd. Y menyn hallt Cymreig hwn fydda i'n ei brynu o hyd yn y siop. Ond mae'r Bwrdd Marchnata Llaeth am stopio ei wneud o, medda nhw, a chanolbwyntio ar yr hen stwff di-flas, dihalen 'na er mwyn gwneud yn siŵr na fydd 'na flas yn y byd ar fwyd yn y byd cyn bo hir. Be haru pobl, deudwch – fedran nhw adael un dim yn llonydd? Tybed na fuasa fo'n syniad da heddiw, yn y storom fawr a'n chwyth, i droi ambell adeilad yn llaethdy, a chael corddwr mawr i gynhyrchu llaeth enwyn go iawn – a menyn bach Cymreig? Mi werthai. Hynny ydi, onid oes 'na ryw felltith o reol gan y Farchnad Gyffredin i roi stop ar hynny hefyd.

Ond, meddach chwithau, ydi'r pethau hyn yn cyfrif? Nag ydynt. Ond, beth sy'n cyfrif? Mae 'na'r fath beth â diddanwch – hyd yn oed heddiw. Ac yn y nefoedd dwi'n mawr hyderu y bydd 'na griafol; y bydd 'na griced; *ac* y bydd 'na gorddi.

CYSGODION
Medi 16 1983

Gyda chynhadledd yr SDP gwasgarog drosodd a'r gwae yn dychwelyd ar Dyrus a Seidon fel mae Libanus yn bygwth mynd mor ddarfodedig â'i chedrwydd a'r lladd-dy mawr llawchwith-gynlluniedig ar Ynys Môn, rydw i heddiw am fynd â chi am dro i'r pictiwrs. Hynny ydi, os medra i ffeindio sinema sydd â'i sgrîn yn dal ar i fyny, gan mai'r Sadwrn hwn y bydd sinema'r *City*, ym Mangor, yn cau am byth. Yno y gwelais ac y clywais i'r llun llafar cyntaf erioed – Al Jolson dwi'n meddwl. Y *City* oedd y sinema gyntaf a oedd o fewn fy nghyrraedd i i ddangos y fath ryfeddod. Mae sinema'r *County*, lle cynhaliwyd Eisteddfod Genedlaethol mil naw pedwar tri a lle bu adran adloniant y BBC yn darlledu'n helaeth trwy'r rhyfel, wedi cau ers llawer dydd a bellach dim ond un sinema sydd ar ôl yn y ddinas – ac mae dyfodol honno yn y fantol.

Yng Nghaernarfon, hefyd, mi fydd sinema ola'r dre – y *Majestic* – yn cau ei drysau ddiwedd y mis. Yr olaf o dair. Mae'r *Empire* wedi mynd at y Bingo ac ati, a'r *Guild Hall* – pictiwrs gwerin liwgar y dref – wedi ei hen ddymchwel. Yno y byddai Mrs Davies yn llywodraethu'n freninesol. A phan fyddai'r cofis bach yn lluchio crwyn orennau – a phethau mwy solat – o'r oriel am ben y dyrfa islaw wrth iddi hi esgyn i'r llwyfan i ymddiheuro am fod y ffilm wedi torri neu'r ffilm fawr heb gyrraedd, mi fyddai yno hen le.

Erbyn hyn, yn wir, dim ond rhyw bedwar ugain o

sinemâu – lle bu gynt gannoedd – sy'n dal i ddangos y darluniau byw i gyhoedd Cymru gyfan.

Mae dyddiau llewyrchus y sgrîn fawr pan oedd actorion Hollywood yn dduwiau ac yn dduwiesau ar ben, ond mi rof i chi gip ar hanes bywyd un o'r mân-dduwiau, a hynny o'i hunangofiant a gyhoeddodd yn America ddeunaw mlynedd yn ôl; cyfrol y cafodd help i'w hysgrifennu mewn arddull Americanaidd arwynebol.

Fe'i ganed ar yr unfed ar ddeg o Chwefror, mil naw un un, yn nhre fechan Tampico yn Illinois. Ei dad yn Wyddel pur, yr ymfudodd ei rieni i America. Teulu tlawd iawn, a'r tad yn gweithio – pan oedd 'na waith – mewn siop esgidiau, ac yn hel diod yn helaeth, pan fedrai. Amser y dirwasgiad mawr oedd hi, a'r teulu'n gorfod symud o dre' i dre' i chwilio am waith.

Prif ddiddordeb y mab, fe ymddengys, oedd ceisio chwarae pêl-droed Americanaidd – y cyfuniad rhyfedd hwnnw o ryw fath o rygbi ac o'r gornestau rhwng hen farchogion yn eu cyflawn arfogaeth mewn twrnamaint.

Mi ddysgodd nofio'n weddol dda a thrwy gael gwaith fel achubydd mewn pyllau nofio mi fedrodd gynilo digon o arian i fynd i'r hyn mae o'n ei alw'n goleg. Does 'na fawr ddim sôn am ei addysg yn y fan honno – dim ond am ei ymdrechion i fynd i dîm pêl-droed y sefydliad yma o ddau gant a hanner o ddisgyblion. Doedd y ffaith ei fod yn ddifrifol fyr ei olwg ddim yn help. Mi fu hefyd yn actio'n achlysurol yng nghwmni drama'r lle.

Trwy ddamwain, a help cyfaill, mi lwyddodd i gael gwaith yn un o'r cannoedd o orsafoedd radio lleol i roi sylwadaeth ar bêl-droed Americanaidd a *baseball* – a alwem ni'n 'rowndars'. Ac oherwydd ei hoffter o geffylau, medda fo, mi ymunodd, yn ei oriau hamdden, â chatrawd y gwŷr meirch a dod yn Lefftenant.

Trwy lwc a help, unwaith eto, mi gafodd ei drwyn i mewn i Hollywood. Chyrhaeddodd o mo'r brig ond mi fu mewn rhyw hanner cant o ffilmiau, rhai cowboi a phob math, ac ambell un yn ffilm weddol. Yn Hollywood yr ymladdodd y Lefftenant y rhyfel yn gwneud ffilmiau i'r fyddin. Ond cyn hyn bu'n llywydd un o undebau'r actorion, nad oedd o'n undeb llafur go iawn o gwbwl. Ac mi argyhoeddodd ei hun mai'r Comiwnyddion oedd y tu ôl i'r holl helbulon diwydiannol mawr fu yn Hollywood. Eu nod nhw, medda fo, oedd meddiannu a defnyddio'r diwydiant ffilmiau nerthol i'w pwrpas eu hunain – er nad ydi o'n dweud sut mae'r fath beth yn bosib.

Mi barhaodd i weld Comiwnyddion o dan bob gwely, ac wedi'r rhyfel pan oedd teledu'n lladd Hollywood mi fu am wyth mlynedd yn rhyw fath o gysylltydd rhwng cwmni enfawr General Electric a'i weithwyr yn ei ffatrïoedd ledled America. Mewn hanner tudalen yn y fan hyn mae'n cofio ei fod wedi priodi, fod ganddo ddau o blant, ei fod o wedi cael ysgariad, ac ailbriodi actores a chael dau blentyn arall – rhwng ymlid Comiwnyddion!
A beth ddigwyddodd i'r creadur yn y diwedd? Wel, mi ddaeth yn Arlywydd Unol Daleithiau America.

AWDURDOD IECHYD GWYNEDD
1983

Mewn wythnos drychinebus mi dderbyniais bwt o lythyr, os ydi o'n bwt hefyd efo'i bron i saith gant o eiriau ac mewn jargoneg fiwrocrataidd sy'n rhyw fath o Saesneg. Ar frig y tudalen mae *Gwynedd Health Authority –Bilingual Policy – A Report of the District Personnel Officer.*

Llythyr cyfrinachol aelodau'r awdurdod ydi o – neu oedd o – gan ei bod yn bwysig fod cynifer ag sy'n bosib yn cael gweld yr epistol yma yn ei gyfanrwydd, pe i ddim ond i ni gael golwg glir iawn ar y ffordd yr ydyn ni'n cael ein rheoli ac ar y rhai sydd yn ein rheoli ni.

Pa un bynnag, corff wedi ei enwebu gan y Swyddfa Gymreig ydi crynswth Awdurdod Iechyd Gwynedd – fel ei frodyr rhanbarthol. Felly, ffrindiau'r blaid sydd mewn grym ydi'r aelodau.

Yn wir, doedd 'na'r un ffrind yn ddigon da yng Ngwynedd benbaladr i'w godi'n gadeirydd ar yr Awdurdod a bu'n rhaid croesi'r ffin i Glwyd i nôl ffrind o'r fan honno i wneud y job.

Un Mrs Noreen Edwards, anhysbys i'r rhan fwyaf ohonon ni, ond cadeirydd pur fedrus yn ôl y sôn. Ac yn ddiau mi fuasai hi'n fwy medrus fyth pe buasai hi'n digwydd siarad iaith mwyafrif pobol Gwynedd.

A beth am y *Personnel Officer*? Un o'r enw Bradshaw meddant i mi. Gŵr sydd i fod i ofalu am fuddiannau'r staff ond sy'n ystyried ei hun, er mai estron uniaith ydi o, yn ddigon o awdurdod ar ddwyieithrwydd i feiddio awgrymu i'r Awdurdod pa mor bwysig ydi hi i ddiystyru'r iaith y bu trigolion Gwynedd yn byw a marw yn ei sŵn am ganrifoedd dirifedi. Truth sy'n mynd i godi, nid ymdrafodaeth gall, ond ymateb terfysg cyhoeddus i'w awdurdod – a phobol ifainc argyhoeddiadol yn y jêl mae'n ddiau cyn terfyn y ddadl. Dwi am ei ddyfynnu fo yn ei Saesneg arbennig ei hun. Pam, fe holai, ei bod hi'n annoeth, yn wir, yn beryglus, i'r awdurdod iechyd yma ddilyn polisi dwyieithog yng Nghymru? Am y gwnâi hynny:

'destroy the working relationship between the authority and the world at large and legitimise minority demands for special treatment. It is extremely dangerous to state that staff should have the right to receive advice in Welsh or English. Whilst I agree the frst contact staff and perhaps speech therapists should preferably be bilingual, it is not realistic to look further for such universal linguistic skills.'

Wrth gwrs mae 'na dynnu sylw at y gost ychwanegol o hysbysebu'n ddwyieithog, a phroblemau cyfieithu, a thipyn o nonsens am greu argraff anffafriol ar weddill y Deyrnas Unedig, wrth chwilio am weision newydd. Efallai na chlywodd y brawd fod 'na dros dair miliwn ar y clwt yn y Deyrnas honno.

Ond yn erbyn agwedd dyn yr ydach chi a minnau'n talu ei gyflog o mae fy nghwyn fawr i. Mi fuaswn i'n barotach i wrando arno fo pe buasai o wedi rhag-ymadroddi ei ddoethineb fel hyn:

'*Ylwch, nid bach o dasg ydi llenwi holl swyddi'r awdurdod yn effeithiol efo gweision dwyieithog, ond gadewch i ni weld pa mor bell y medrwn ni fynd ar y llwybrau yma, a sut i gribinio'r byd wedyn.*'

Ond un gair mawr y neges ydi effeithiolrwydd; a'r wers fawr – dydi'r Gymraeg ddim yn gymhwyster arbennig yng Ngwynedd. Wel, dwi'n bur sicr bod 'na swyddog yn

Ffrainc neu rywle a fedrai wneud gwaith yr epistolwr hwn cystal ag yntau – ac yn ddoethach hefyd. Yn enw effeithiolrwydd, a ddylid felly benodi'r fath berson er na fuasai gan hwnnw un gair o Saesneg? O na fuasai. Mae Saesneg yn gymhwyster hanfodol. Wel, mae'r Gymraeg hefyd yng Ngwynedd! Dydi pobol wael – sef cwsmeriaid yr Awdurdod Iechyd – ddim yn bobol ar eu gorau; a 'dydi plant ddim, yn siŵr i chi. Maen nhw am gael eu cysuro yn eu hiaith gartrefol eu hunain – ond nid dyna galon y ddadl.

Dyma'r ddadl – mae gan y Cymry Cymraeg hawl i'w hiaith eu hunain, yn eu gwlad eu hunain a hawl i gael eu llywodraethu gan eu pobol eu hunain. Ar y funud ceir hysbysebu mewn Saesneg am y swyddi newydd – yn nyrsus ac yn bopeth – fydd yn Ysbyty Newydd Gwynedd. Pan wneir y penodiadau mae'n hanfodol derbyn yr egwyddor fod y Gymraeg yn gymhwyster ychwanegol. Dydyn ni ddim yn ffyliaid am ein bod ni'n medru Cymraeg a Saesneg.

Ac i orffen gyda geiriau olaf y llythyr anffodus – un y dylai'r awdurdod ei gondemnio'n gyhoeddus – mae hyd yn oed yr awdurdod ar ddwyieithrwydd, a ddyfynnir, yn un anffodus ac mi gafodd enw hwnnw'n anghywir ar y cynnig cyntaf – sef Syr Charles Edwards am Charles Evans a fu'n Brifathro Coleg y Gogledd. Hyn oll gan Swyddog yr Awdurdod a ddiswyddodd ysgrifenyddes ddwyieithog a safodd dros ei hiaith gan benodi Saesnes uniaith yn ei lle.

DYSGWYR
14 Mehefin 1985

Rhyw James Bond o wythnos fu hi – wel wythnos ysbïwyr o leiaf – ond rhai llai llwyddiannus na Mr Bond mae'n ymddangos. Tri o Gymry'n cael eu cyhuddo a'r papurau'n gwneud môr a mynydd o'r ffaith fod 'na bedwar o ysbïwyr Rwsia a ddaliwyd yn America wedi eu cyfnewid am dri ar hugain o rai'r gorllewin a ddaliwyd – ond a elwir yn *Eastern Block prisoners* yn y *Daily Post* ac yn *alleged Western Agents* yn y *Western Mail*. Y wasg Saesneg yn llwyddo i weld y fargen yna'n un dda iawn yn ôl eu ffordd nhw o edrych ar bethau. Ond o ystyried y fargen o gyfeiriad arall mi fedrech, efo ychydig iawn o fathemateg, ddatgan fod pedwar ysbïwr comiwnyddol yn werth tri ar hugain o rai cyfalafol.

Sy'n dod â ni at gwestiwn mawr Peilat – beth ydi gwirionedd? Wel, mae o'r hyn rydych chi am iddo fod. Mae'n dibynnu ar ba ochor ohono fo rydych chi'n sbecian. Daw hyn â mi at air a gefais i gan wrandawraig ffyddlon o Gaerdydd sy'n dysgu – wedi dysgu ddywedwn i – y Gymraeg. Gair, meddai hi, a'i dyfynnu: 'mewn ymateb i'r digalondid yn eich llais o bryd i'w gilydd pan soniwch am ddyfodol ansicr yr iaith Gymraeg a Chymru ei hunan'.

Mae gan y wreicdda hon o Gaerdydd fwy o hyder na mi – ac mae ganddi fwy o dir o dan ei thraed. Achos efo'i llythyr mae 'na fanylion am gylchgrawn Cymraeg newydd sbon fydd ar werth yn y Steddfod yn y Rhyl. Ei amcanion yw bod yn gyfrwng i'r dysgwyr fynegi eu profiadau a gloywi eu Cymraeg, ac i gadw'r cysylltiad rhwng gweithgareddau gwahanol ardaloedd ceir pedwar

28

dysgwr ar y bwrdd golygyddol o saith, a phedwar rhifyn y flwyddyn.

Rydw i'n mynd o'm ffordd i'ch annog chi i roi pob help a chefnogaeth bosib i'r achos da iawn hwn. Ac mi af yn ôl at fy nigalondid efo gair o brofiad.

Rydw i wedi treulio fy oes ar gyrion canolbarth Cymru ac yn ninas Caerdydd cyn dychwelyd i Wynedd, ac o'r herwydd wedi cael cip ar y gwirionedd Cymreig o wahanol safleoedd ac wedi ei weld yn wahanol wrth newid o wahanol arsyllfa. Pan adewais i Wynedd ar derfyn y rhyfel doedd 'na ddim Sais yn byw ym mhlwy Llangybi yn Eifionydd. Yno roedd popeth yn Gymraeg – holl ymwneud pobol â'i gilydd yn eu cymdeithas. Pan sefydlais yng Nghroesoswallt yn sir Amwythig fedrech chi ddim disgwyl clywed Cymraeg. Ond fe glywech fwy nag a feddyliech chi. A dim ond camu i Faldwyn ac roedd y Gymraeg yn hyfryd gyrraedd o Lanwnnog neu Lanrhaeadr-ym-Mochnant, reit at y goror.

Ond yng Nghroesoswallt y deuthum i amgyffred natur a grym y Gymru ddi-Gymraeg. Ymlafnio fel golygydd *Y Cymro* i ledaenu'r papur i bob aelwyd bosib. Gwynedd – iawn; Clwyd – eithaf da; Maldwyn – cyfran foddhaol; Ceredigion – dim lle i gwyno. Ond beth am y gweddill?

Dyffryn Aman – digon o siarad Cymraeg ond yr ymarfer o'i darllen yn prysur ddarfod. Llanelli – 'run fath. Abertawe neu Abertyleri, Cwm Rhondda, Caerdydd, ac ymlaen, ac ymlaen – anobeithiol. Ac yn y fan honno roedd y boblogaeth fawr. Pe buasai'r rheini'n dal i siarad Cymraeg buasai can mil o gylchrediad yn bosibilrwydd o leiaf. Ond na, y drws – y drws iaith – wedi ei gau, a'i gau'n sownd.

Mynd wedyn i fyw i Gaerdydd. Cymryd yn ganiataol mai Cymry fel minnau oedd fy nghymdogion yn Rhiwbeina. Rhai wedi eu geni a'u magu yn hyfrydwch Caerdydd oedden nhw. Dim gair o Gymraeg gan yr un ohonyn nhw. Derbyn y sefyllfa efo rhyw 'felna mae hi' a 'felna bydd hi' o ymateb.

Ond pan ddois i'n ôl i Wynedd roedd pethau'n wahanol yma ac nid yw'r blynyddoedd y bûm yma heb wneud un dim ond cynyddu'r anesmwythyd – ie, a'r digalondid, os mynnwch chi. Yn hen blwyf Llangybi, mae ffarm ar ôl ffarm – gan gynnwys hen ffarm y teulu – bellach yn eiddo i Saeson pur. Saeson yn y pentrefi yn Eifionydd – ac yn eu tai haf. A phan fydda i'n clywed rhywun yn Llanrug yn siarad Saesneg mi fydda i'n gwybod nad Cymro di-Gymraeg ydi o, ond Sais. Nid Cymry Cymraeg a Chymry di-Gymraeg ydi hi yng Ngwynedd – croeswch i Ynys Môn i gael gweld – ond Cymry Cymraeg a Saeson. Mae'r ffaith fod 'na nerth a bywyd yn y gymdeithas Gymraeg yng Nghaerdydd, fel mae Vaughan Hughes yn lliwgar ddangos yn *Y Faner*, yn galondid mawr. Roedd hi hefyd yn galondid mawr, erstalwm, fod 'na ugeiniau o gapeli Cymraeg gorlawn yn America, fod capeli Cymraeg Lerpwl a Llundain yn orlawn, fod papur Cymraeg ym Mhatagonia – y cyfan yn dod â'r un balchder i Gymru ag a ddeuai'r ymerodraeth i Loegr. Balchder am mai adlewyrchiad o gadernid yr iaith yng Nghymru oedd hyn oll.

Os collwch chi'r balchder a'r cadernid yna o'r bröydd Cymraeg fuasai waeth i chi ddysgu Esperanto mwy na dysgu'r Gymraeg yng Nghaerdydd. Am fod 'na bobol fel chi yn ymdrechu i ddysgu'r iaith yn y brifddinas, ac er eich mwyn chi hefyd y mae 'na bobol fel fi yn ymboeni yn Llanrug. Ac mae Adfer yn iawn. Heb i'r Gymraeg fod nid yn unig yn gryf ond yn oruchaf hefyd yn rhywle fedr hi ddim bod felly yn unman. Am hynny rydw i'n poeni, hyd at gynddaredd – am fod gen i'n ddiymadferth le i boeni, er nad oes gen i hawl, efallai, i ddigalonni.

DIM CYMRAEG
26 Gorffennaf 1985

Am y Sioe Amaethyddol fawr a'i llwyddiant ysgubol y dylaswn i fod yn sôn heddiw. Ysywaeth mae 'na bry' yn y pren, cancr yn y goeden na fedra i mo'i osgoi. Yng Ngwynedd a thrwy'r Gymru Gymraeg mi fu hi'n wythnos drychinebus o drist. Yr hyn sydd yng Ngwynedd heddiw ydi cynddaredd sy'n ymledu trwy'r gymdeithas Gymraeg a hefyd yn creu anniddigrwydd ac euogrwydd yn ymwybyddiaeth y di-Gymraeg. Dwy wraig ac un tribiwnlys wedi drygu mwy ar y berthynas rhwng y Cymry Cymraeg a'r di-Gymraeg yng Nghymru nag un dim a welais i yn fy mywyd, a'r protestiadau a'r deisebau'n nodwyddau draenog ym mhob cwr a chornel. A dyma'r ail ddyrnod yn dod – dim corff i ddatblygu addysg Gymraeg, a hyn eto am y rheswm mwyaf di-argyhoeddiad y medrid meddwl amdano, sef am nad oes yna alw amdano yng Nghymru. Y nef a ŵyr sut y llwyddwyd i gyrraedd y fath gasgliad. A pha un bynnag, nid faint sy'n galw amdano ydi'r cwestiwn – ond, ydi o'n hanfodol. Ac mae o. Pwy, ysgwn i, a alwodd am gwtogi'r gwasanaeth iechyd nes peryglu'r ysbytai, ac a alwodd am ddifrod cyffelyb ym myd addysg? Pwy a alwodd am daflegrau niwcliar neu am y codiad enfawr yna i'r mawrion, ran hynny?

Nid ar chwarae bach ac nid ar ymgyrch gostus ym mhob ystyr y llwyddir i ddad-wneud y penderfyniad yma ar dynged addysg Gymraeg. Ond mae 'na lawer mwy o obaith ennill yr achos arall ac efallai y bydd gennym ni le (wel, ddim cweit) i ddiolch i'r ddwy ddynes uniaith 'na am godi holl gwestiwn lle'r iaith i diriogaeth lle bydd hi'n rhaid yn y diwedd ddweud yn gyfansoddiadol gyfreithiol beth yn union ydi hawliau Cymro Cymraeg yn ei wlad ei hun. Ar y funud mae'r sefyllfa'n un Dde Affricanaidd – a chi a fi ydi'r blacs.

Os na fedr ein hen bobol gael treulio'u dyddiau naturiol yn eu hiaith naturiol, chaiff 'na neb. Ac yn y fan yma mae gen i hawl i siarad – rydw i bellach yn un o'r hen bobol fy hunan.

Mae'n warth o beth fod cymdeithas sydd i fod i ofalu am gyfiawnder hiliol wedi troi'n rhagfarnllyd hiliol ei hunan i hysio'r ddwy wraig yna yn eu blaenau. Ond ddylan ni ddim digalonni gormod uwchben penderfyniad gwarthus y Tribiwnlys 'na 'chwaith. Rhyw geiniog a dima o sefydliad ydi o, a doedd 'na ddim Barnwr ar ei gyfyl o'n dod i benderfyniad. Yn wir, delio â chyflogau ydi ei brif swydd. Ond pan aiff yr apêl i lys – ac i lysoedd uwch os bydd raid – y daw'r ddedfryd y bydd yn rhaid ei hastudio. Os try'n anffafriol bryd hynny – am fod y ddeddf, fel y mae, yn gweithredu yn erbyn yr iaith Gymraeg – yna fe'n hwynebir ag ymgyrch ymarferol i newid y ddeddf. O leiaf mi fyddwn yn gwybod ble'r ydyn ni'n sefyll. Ar y funud yr hyn sy'n cael ei gynnal ydi hawl

Saeson i beidio â siarad Cymraeg, nid hawl y Cymry i siarad Cymraeg.

Prin mae'r brotest yn erbyn y dyfarniad melltigedig hwn wedi cychwyn eto. Mae'r gynddaredd ar gerdded ac wedi cyrraedd clustiau hyd yn oed y *Daily Post* a'r *Western Mail*. Fe drodd yr Aelod dros Arfon yn deigr a fedrodd godi'r achos ddwywaith yn y Senedd er bod honno – diolch byth – ar fin cau'r drysau am yr haf. Ac fe gafwyd cefnogaeth gan Aelodau Seneddol o bob plaid.

Mae hyn oll, yn yr holl drybini cenedlaethol hwn, yn hoelio'r sylw ar y ffaith nad oes 'na gorff cenedlaethol o fath yn y byd i gadw llygad ar y dreftadaeth. Mae'r cyfan yn cael ei lwytho ar ysgwyddau sefydliadau aberthol fel Cymdeithas yr Iaith, na fedr yn ei byw ymladd pob brwydr. Oes yna un Cymro mawr ar ôl a fedrai ledio'r ffordd i sicrhau rhyw fath o gorff cenedlaethol?

Yn y cyfamser mae 'na bryder gwirioneddol ynglŷn â bygythiad o gyfeiriad Cymdeithas yr Iaith i achosi difrod i babell Cyngor Sir Clwyd yn y Brifwyl – mewn brwydr arall. Yn yr hinsawdd bresennol, lle mae'r Cymry Cymraeg yn dechrau uno, a'r Gymdeithas yn deisebu o blaid y Corff Addysgol, mi fuasai gweithredu felly yn ailgreu ymraniadau; yn drygu'r undeb Cymraeg; yn tanio cyhuddiadau amherthnasol o anghyfrifoldeb ac yn tynnu'r sylw oddi wrth y difrod i'r Gymraeg at y difrod i bebyll. Mae 'na le ac amser a dull a modd i bob protest – ac mae 'na'r fath beth â doethineb. Oni bydd gryf, bydd gyfrwys.

GWELD PANTYCELYN

Dim ond gwybod rydw i, fel chwithau bellach, pa genedl sy'n rheoli Ynys Môn erbyn hyn. Felly gadewch inni, fel tipyn o newid, hel straeon efo'n gilydd, gan i mi ddod ar draws cyd-ddigwyddiad anhygoel, eto byth, yn ystod y dyddiau diwethaf 'ma. Ond mae'n rhaid i mi ddechrau efo Thomas Edwards, yr Hwntw Mawr, a laddodd Mary Jones, morwyn ffarm Penrhyn Isaf sydd ar gwr pella'r Cob o Borthmadog – wedi iddo dorri i'r tŷ i ladrata. Roedd y llarp hwn o ddyn, ond nid hwntw oedd o chwaith, yn gweithio ar y Cob ac fe'i daliwyd a'i grogi yn Nolgellau yn 1812. Ddegau o weithiau y clywais fy nhaid yn adrodd stori'r Hwntw Mawr, a'r hyn a lynodd yn y cof oedd ei haeriad fod sgerbwd y llofrudd ym meddiant doctor yng Nghricieth; hefyd y cof i'm taid sôn am gydnabod yn galw yn nhŷ'r doctor a rhyfeddu cymaint uwchben y sgerbwd nes i'r doctor dorri un o'i fysedd a rhoi'r migwrn yn anrheg iddo fo.

Hyd nes i mi ddarllen y gyfrol benigamp honno *Doctor Pen-y-bryn* roeddwn i'n ofni mai un o ramantau fy nhaid oedd y cyfan oll. Nid felly, fel y profa'r Doctor, y llawfeddyg enwog Owen Elias Owen. Mae'n egluro fel yr arferid prynu sgerbydau llofruddion i bwrpasau meddygol yn yr hen ddyddiau ac mai felly y daeth gweddillion yr Hwntw Mawr i Gricieth. A oes rhywfaint ohonyn nhw ar ôl? Wn i ddim. Ond fe ddywedodd y llawfeddyg wrthyf iddo weld pen yr Hwntw Mawr aml i dro pan oedd o'n blentyn.

Roedd yn eiddo i D. Charles Owen – a gofiaf yn dda fel

gorsaf-feistr Afon-wen – a fyddai'n adnabod pob gweinidog a fyddai'n newid trên yno ar nos Sadyrnau a boreau Llun. Byddai D. Charles Owen yn cadw *Band of Hope* yng Nghricieth ac yn achlysurol yn dod â phenglog yr Hwntw Mawr yno i egluro rhai pethau anatomyddol i'r plant. Ydi'r pen yn dal ar gael tybed? Ond o ganlyniad mi fedraf innau ddweud imi weld un a welodd yr Hwntw Mawr, neu weld ei ben, o leiaf.

A dyma fi'n dod at fy mhwynt mawr. Rydw i hefyd wedi gweld dyn a welodd Williams Pantycelyn. Ac nid cyboli rydw i, oherwydd erbyn heddiw mi fedraf brofi'r peth.

Wrth draed fy nhaid y dechreuodd y stori hon hefyd. Roeddwn i'n beth reit fychan yn y dau ddegau cynnar, ond yn glustiau i gyd bryd hynny hefyd, pan alwodd dau ŵr dieithr heibio. Does gen i ddim syniad pwy oedden nhw, o ble daethon nhw, nac ar ba berwyl roedden nhw. Ond welais i erioed mohonyn nhw na chynt na chwedyn. A dyma un ohonyn nhw'n dweud ei fod o wedi gweld Williams Pantycelyn.

Atgyweirio'r fynwent ac ymgeleddu bedd Williams roedd o, medda fo, pan gloddiwyd yn rhy ddyfn nes datguddio arch y Pêr Ganiedydd; fe syrthiodd rhywbeth ar y caead bregus, a dyna'r hyn a arhosai o Williams yno o flaen ei lygaid. Fe gofiai yn arbennig fod ei wallt yn dal arno ac fe lwyddodd i dorri cudyn ohono. Roedd hwnnw'n dal yn ei feddiant, medda fo. A dyna'r chwedl.

O dro i dro mi gofiwn innau am y stori ac mi geisiais, heb lwc, holi a fu yno rywdro atgyweirio ar feddau eglwys Llanfair-ar-y-bryn. Ond y dydd o'r blaen roedd yr hen gyfaill, Meredydd Evans, yn aros am sbel bach efo mi, ac ar ddamwain mi adroddais y stori wrtho fo, ac fe'm syfrdanwyd pan ddywedodd Merêd, 'Mae'r stori'n wir, ac mi fedra i 'i phrofi hi. Mi clywais i hi gan Cynwil Williams.' Doedd dim amdani ond teleffonio'r Parchedig Cynwil Williams – un o gewri darfodedig pulpud Cymru – ac meddai:

'Roedd Dr Thomas yn weinidog yn Llanymddyfri ddechrau'r ganrif ac yn poeni am gyflwr bedd Williams yn Llanfair-ar-y-bryn. Fe fedrodd drefnu i'w ddiogelu, ac wrth wneud y gwaith daeth Williams ei hun i'r golwg – fel y clywswn innau ar aelwyd fy nhaid. Fe'i gwelwyd gan fab Dr Thomas – y Parchedig Solfa Thomas – ond hogyn ifanc oedd o bryd hynny. Roedd yntau wedi sylwi ar wallt cringoch Williams.'

Eunice George, ei ferch, – y ddiweddar bellach – a adroddodd y stori wrth Cynwil Williams. Gobeithiaf nad wyf yn greadur ymffrostgar, ond o'r diwedd rwy'n teimlo fod gennyf hawl i frolio fy mod wedi gweld dyn a welodd Williams Pantycelyn. Ac mae 'na bethau salach na hynna i ymffrostio ynddyn nhw on'd oes?

Y BROBLEM FAWR
29 Gorffennaf 1988

Os mai wythnos y Swyddfa Gymreig a'r Gymraeg oedd y ddiwethaf, wythnos Plaid Cymru a'r mewnlifiad ydi hon – pwnc a lwyr osgowyd gan Peter Walker ac a osgowyd yn swyddogol ormodol gan y Blaid. A dyna fydd pynciau gwleidyddol mawr maes yr Eisteddfod Genedlaethol yr wythnos nesaf – o gwrdd dan nawdd y Brifwyl ym

Mhabell y Cymdeithasau am hanner awr wedi deg fore Llun gyda'r Arglwydd Prys Davies yn annerch, hyd at gwrdd Plaid Cymru ar y Sadwrn gyda Dafydd Iwan.

Fe deimlodd rhai, ac ni fuont yn brin o ddweud wrthyf, na sylwais i fel y dylaswn ar drafodaethau ar y mewnlifiad y tu mewn i Blaid Cymru. Fe fu 'na drafod yn *Y Ddraig Goch*, gan gynnwys rhifyn Awst, a mannau eraill. *Y Ddraig Goch*, gyda llaw, yn lliwgar ei diwyg ac yn iachusol barod i gynnwys colofn feirniadol Glan Twrch.

Nid ar ymateb gwahanol aelodau unigol o'r Blaid y canolbwyntiais i ond ar sylwadau ei Llywydd, gan ystyried, yn fy niniweidrwydd, mai ganddo ef mae'r didwyll laeth, ac, i gymysgu pethau, yn y gred mai'r un peth ydi'r ci a'i gynffon.

Ysywaeth, mae Llywydd Plaid Cymru yn bersonol-iaeth garismatig, gymhleth ac yn medru bod yn enigma genedlaethol. Cignoeth o eglur wrth gondemnio llosgwyr tai haf ond dyrys wrth drafod y mewnlifiad a wêl yn ffenomenon hanesyddol a roddodd Dafydd Wigley a Neil Kinnock i ni, gan nodi na fedrid codi gorsafoedd ar y ffin i atal y dilyw a bod yr ateb mewn cymdeithas sosialaidd Gymreig a'r gobaith yn Senedd Ewrop – pan wawria'r ganrif nesaf – yn un y cenhedloedd bach.

Yn y cyfamser, mae'r gymdeithas Gymraeg yn gweld y llifeiriant yn tanseilio ei ffordd o fyw – mae 'na fil arall eto wedi cyrraedd Cymru ers wythnos i heddiw a mil o Gymry, o bosib, wedi gorfod mynd oddi yma. Beth fedrir ei wneud heddiw? Mi allasai yfory a thrennydd fod yn rhy hwyr.

Mi wnaeth Dafydd Elis Thomas hi'n rhy hawdd i

bobol ei feirniadu ac o bosib fe fu gormod o fanteisio ar y cyfle. Ac yn sicr, roedd i Alan Llwyd warafun – yn *Barddas* – iddo fod yn feirniad llenyddol am mai gwleidydd ydi o mor ddireswm â chondemnio sylwadaeth wleidyddol yr Archdderwydd ac yntau'n ddim ond bardd. Roedd Dafydd Êl yn ysgolhaig a beirniad llenyddol praff cyn iddo weld y Senedd.

O blaid Alan Llwyd – rhag iddo ychwanegu at ei restr o elynion lledrith – rhaid dweud fod ei ymdriniaeth lenyddol yn *Barddas* wedi ei hymresymu yn dreiddgar iawn, ac i ddyn pum munud fel fi, mae gweld datblygu ac ymhelaethu fel y gwna ef ac y gwna Bobi Jones wrth loyw drafod T. Glynne yn awyr iach. Ymdrin llenyddol go iawn megis yn y *Blackwood Magazine* a'i debyg yn y ganrif o'r blaen.

I ddod at y mewnlifiad; dyma sefyllfa y mae'n haws ei chondemnio na darganfod meddyginiaeth mewn pryd – problem fwyaf astrus Cymru. A haws ydi dweud 'brysiwch fendio' wrth y claf na mynd i nôl y doctor. Mae'r broblem yn waeth am mai ni'r Cymry sy'n gwerthu'n tai i ddieithriaid. A waeth i chi heb ag apelio – mae'r gwanc a'r demtasiwn yn ormod. A phrin y gwelwch ddeddf yn eich rhwystro i werthu eich tŷ i Sais, fel y mae pethau. A jôc fwyaf a chwerwaf y ganrif – yr ysgrifen ar y mur 'Nid yw Cymru ar Werth.'

Yn ôl at Dafydd Êl. Yn ei ddatganiad pur helaeth i'r wasg pan lansiwyd dogfen newydd Plaid Cymru does 'na ddim i gweryla ag o, ac mi fedrwch gydymdeimlo â'i eiriau 'Mae pwnc newid poblogaeth wedi creu cyfyng-gyngor arbennig i Blaid Cymru.' Na – dydi'r ateb ddim yn hawdd.

Dogfen ymgynghorol gan Cynog Dafis ydi hon ac wedi ymgynghori ac ymdrafod fe ddaw ohoni bolisi swyddogol y Blaid. Mae'n gefndirol ac yn cynnwys llu o awgrymiadau y mae'n rhaid i chi eu hastudio drosoch eich hun cyn penderfynu a ydyn nhw'n ddigon penodol, yn ddigon amserol, sy'n dibynnu ar ymateb yr awdurdodau lleol a'r Swyddfa Gymreig – a pholisïau'r Hen Wyddeles, yn y pen draw, yn rhy gyffredinol, ta beth. Ond mae yma gydnabod argyfwng ac ymdrechu'n lew i'w wynebu.

Am gynlluniau Peter Walker – fel y dengys *Y Cymro*, sydd â'i golofn olygyddol wedi dirfawr ymgryfhau, ac yr ymetyb *Y Faner* i raddau llai o ychydig – mae'r haleliwia drosodd ac amser i feddwl yn dangos mai'r hyn a roddwyd oedd amser i feddwl uwchben y broblem – ac i obeithio am atebion.

Cymdeithas yr Iaith ymhell o gael ei hargyhoeddi, a'r Brifwyl yn brawf ar ras ymataliol ei haelodau, sydd, rwy'n hyderu, wedi dod i'r casgliad mai amser i hel cefn fydd hi yng Nghasnewydd eleni ac na fedrai protest ddinistriol wneud mwy na dinistrio'r brotest.

MAE DYDD Y FARN...
9 Rhagfyr 1988

'Mae Dydd y Farn yn dod ar frys,
Boed hyn yn hysbys newydd.'

Dyna ydi testun fy mhregeth i, sydd, wrth gwrs, dan dri phen. Ac mi ddechreuaf efo'r atomfeydd – a syfrdandod neu ddau.

Af i ddim ar ôl y ddadl fawr ar ddyfodol yr ynni niwclear. Yn hytrach, gadewch i mi ofyn cwestiwn mwy perthnasol-ddyrys i chi. Mae 'na ddwy atomfa yng Ngwynedd – rydw i'n byw rhyngddyn nhw. Ond mi ganolbwyntiwn ni ar un Trawsfynydd. Mae chwe chant yn dibynnu arni am eu bywoliaeth – ac o ystyried eu teuluoedd, hefyd, mae'r dibyniant yn sylweddol. A'r mwyafrif helaeth ohonyn nhw'n Gymry Cymraeg da ac yn gynheiliaid gwerthfawr i'n hiaith a'n cymdeithas.

A dyma'r cwestiwn. A fedrwch chi gyfiawnhau cadw'r orsaf – a'i gweithwyr – os ydi hi'n llygru'r amgylchedd i'r fath raddau nes achosi colli bywyd un, dim ond un, o'r trigolion lleol? Cwestiwn diwydiannol, diwylliannol a, goruwch popeth, moesol. Atebwch chi.

Gadewch i mi ddwyn i gof, fel y dygwyd i mi'r noson o'r blaen, gefndir Trawsfynydd. Mi ddaeth y milwyr yno gan feddiannu nifer helaeth o'r ffermydd. Ac mi ddaethant yn ôl yno i feddiannu rhagor. Ac mi aethant oddi yno. Ac i'n hatgoffa o ddyletswyddau milwyr, mae 'na gofgolofn i lanc o fugail yng ngolwg ac yn sŵn hen afon Prysor, a'r llygaid na all agor a'r clustiau byddar heb fedru gweld na chlywed.

Ac yna, dyna ragor o ffermydd yn diflannu dan ddyfroedd y llyn. A'r cyfan oll wedi digwydd yn hollol ddibrotest. Dim cyrddau mawr. Dim peintio 'Cofiwch Drawsfynydd' ar y waliau... Ac yna, yn hynod ddibrotest, wele'r atomfa. Cri o galon diogelwyr harddwch Eryri a rhai gwladgarwyr a dim llawer mwy. Dim ymchwydd cenedlaethol.

Ac mi fu'n rhaid i'r ysgytwad, a orfododd roi ystyriaeth i'r atomfa a'i dyfodol, ddod o Rwsia, gwlad y cynyrfiadau mawr. Ar ben llygredd yr orsaf ei hun – a'r pysgod na feiddia neb eu bwyta, sy'n foldew yn y llyn – wele lwch Chernobyl yn dwysáu problemau teuluoedd o ffermwyr defaid. A dyma i chi stori rwyf newydd wrando arni gan ŵr a faged yn y Traws. Byddai ei nain, meddai, yn troi at Lyfr y Datguddiad pan ddeuai 'na ryw ddryswch, ryw ddirgelwch, neu ryw ddychryndod mawr i'r byd. A phan ddaeth anfadwch *Chernobyl* mi drodd yntau at yr un hen lyfr – rhag ofn. Ond yn gyntaf mi ymchwiliodd i ystyr y gair Chernobyl – a'i gael yn gywir. Hwn yw'r gair Rwseg am wermod. Troi i Lyfr y Datguddiad a darllen hyn: '...a syrthiodd o'r nef seren fawr yn llosgi fel lamp, a hi a syrthiodd ar draean yr afonydd ac ar ffynhonnau y dyfroedd. Ac enw'r seren a elwir Wermod; ac aeth traean y dyfroedd yn wermod; a llawer o ddynion a fuant feirw gan y dyfroedd, oblegid eu myned yn chwerwon.'

Nos Lun dangosodd *Y Byd ar Bedwar* yn fedrus, wae a gwewyr teuluoedd o Wynedd sydd, yn nheyrnas yr atomfeydd, yn dioddef o'r canser – rhywbeth y gwn i ormod amdano – mewn rhaglen na chafodd ei llawn effaith am na chyflwynwyd ystadegau o fath yn y byd. Felly, dyma i chi un ystadegyn sy'n ddychryn – o holl fflyd ambiwlans Ysbyty Gwynedd mae gwasanaeth chwe ambiwlans yn mynd i gludo trigolion y sir niwclear yn ôl a blaen i ysbytai Gwynedd, Lerpwl, Clatterbridge, Manceinion – dioddefwyr o'r canser a lewcemia. Chwe ambiwlans.

'Mae Dydd y Farn yn dod ar frys...'

At fy ail ben – dyfodol Prifysgol Cymru na bu erioed yn Brifysgol Cymru, dim ond pedwar coleg annibynnol a amlhaodd. Ffaith – rhyw wyth mil o'r holl fyfyrwyr sy'n dod o Gymru – dim ond un o bob tri. Prifysgol pwy ydi hi felly? Yn y cefndir mae blaenadroddiad a hwnnw'n bownd o fod yn ystyried ffordd i uno'r colegau yn un Brifysgol – yn fras, o bosib, ar linellau Prifysgol Llundain. Mi olygai hynny y collai'r colegau unigol eu hannibyniaeth gan gynnwys eu hawl bresennol i alw am eu grantiau eu hunain. A'r datblygiadau electronig yn ei gwneud hi'n bosib i ddilyn cyrsiau mewn un coleg a ddarlledir ar y sgrîn o goleg arall. Mi fydd 'na hen ddadlau plwyfol, ond waeth un gair na chant, mae'n rhaid bellach gael y Brifysgol o'r diwedd yn un ac yn ffaith – heb anghofio mai Prifysgol Cymru ydi hi. Yma hefyd mae dydd y Farn yn dod ar frys.

A'r trydydd pen – y mewnlifiad. Ffaith – mae ceisiadau am ganiatâd i godi tai newydd ar gyrion y ffordd newydd a fydd yn arwain o Loegr trwy Glwyd i Wynedd yn llifo wrth yr ugeiniau i swyddfeydd cynllunio'r ddwy sir ac yn ymestyn hyd holl draethau Môn. Mi ddaw'r Saeson yma wrth y miloedd i'n boddi ni – ac eisoes mae polisi iaith Awdurdod Addysg Gwynedd mewn argyfwng. Ystyriwch y canlyniadau.

> Mae dydd y Farn yn dod ar frys,
> Boed hyn yn hysbys newydd.'

42

SIGLO'R SEILIAU
13 Ionawr 1989

Oddeutu'r unig newydd da a gawson ni hyd yn hyn eleni ydi'r darogan fod 'na haf heulog a phoeth i ddod. Ond gyda hyd yn oed y proffwydi swyddogol yn methu â gweld ymhellach nag yfory mae angen rhoi cryn dipyn o halen ar eiriau'r rheini sy'n haeru eu bod nhw'n medru gweld cyn belled. A dyma ffaith y funud – mae'r eira ar fryniau Eryri.

A'r newydd tristaf, ar ben trychinebau'r awyrennau, ydi'r manylion am gyllideb America, sydd eleni'n bwriadu gwario rhagor nag erioed ar arfau er gwaethaf ymdrechion glew Gorbachev i argyhoeddi'r byd ei bod hi'n amser cynllunio ar gyfer heddwch. Ond dyna ni – act ola'r Hen Gowboi y mae'r Ceffyl Pren ar fin dilyn ôl ei droed.

Ac yn y Gymru Gymraeg mae'r hen hunlle'n dwysáu. Yma yng Ngwynedd yn y chwe mis hyd ddechrau Hydref fe brynwyd pedwar cant ar ddeg o'r cartrefi fu ar werth, gan Saeson – bron i un o bob tri a ddaeth i'r farchnad. Sy'n golygu i rhwng tair a phedair mil o estroniaid yn rhagor droi'n fygythiad a phroblem ychwanegol yn y gadarnle Gymreig. Ac ochr arall y geiniog fudr – pwy sy'n gwerthu? Ni. Ydi, *mae Cymru ar Werth.*

Yr unig ateb a gynigir ydi – crëwch waith; cryfhewch yr economi; cadwch y Cymry mewn gwaith yn eu bro fel y medrant hwythau brynu tŷ. Ond dim ond rhamantu am ddiwydiannau bach a chrefftau gwledig sy'n digwydd – ar wahân i'r twristiaeth sy'n dinistrio'i hun cyn dinistrio popeth arall. Yn wir, fis yn ôl, pan ostyngodd diweithdra trwy Gymru mi gododd bron i bedwar cant yng Ngwynedd. Ydi'r Awdurdodau Lleol yn cysgu? Ydyn.

O ganlyniad mae'r canllawiau a'r sylfeini a'n cynhaliodd gyhyd yn siglo. Ac mae hyd yn oed y pethau bach yn ychwanegu at yr anobaith. Canys mae'r gwaed yn ogystal â'r pen yn llefaru. Diflaniad Jonathan Davies, oedd yn gapten yn ei wlad ei hun, yn ergyd iasol i grefydd a'n gwnaeth yn genedl etholedig yn nhyb rhai – y grefydd a elwir rygbi.

Digalondid drachefn wrth weld y pencampwr Ian Woosnam yn cefnu ar ei wlad er mwyn mynd â'i glybiau golff i hela ychwaneg o dda'r byd yn y tir lle mae'r hen frodorion du yn greaduriaid israddol.

Y gwaed yn poethi mymryn wrth weld ymgnawdoliad o hen gynddeiriogrwydd ymosodol Trevor Ford, ond gyda difesur ragor o fedr, yn ymddangos ar faes y bêl gron – y dychweledig deigar Mark Hughes.

A'r gwaed eto'n poethi wedi buddugoliaeth Doug Mountjoy ar y bwrdd snwcer a ysbrydolodd y Cymry iau i brofi fod peth o'r hen dân ym mol y ddraig o hyd.

Erstalwm, nid snwcer ond biliards oedd hi. A'r bobol fwyaf annhebygol yn ei chwarae – yn Gymraeg. Roedd Eifion Wyn yn un o chwaraewyr biliards ffyddlonaf hen Glwb y Libral ym Mhorthmadog, lle byddai o a'r Meuryn ifanc yn herio'i gilydd ar y lliain gwyrdd, ynghyd â'r cymeriad y Parchedig W. J. Nicholson yn gwylio, – er nad oedd 'na Gymraeg rhyngddo fo ac Eifion Wyn.

'Be' ddaeth rhyngoch chi a'r bardd?' fe holwyd Nicholson. Ac ateb y gwalch hwnnw:

'Wel sorri mae o am 'mod i'n medru rhoi cweir iddo fo ar y bwrdd biliards.'

A dyna i chi un o hen brifathrawon cynnar Coleg y Brifysgol Aberystwyth a fyddai'n treulio'i amser yn chwarae biliards yn y dref pan oedd ganddo bethau amgenach i'w gwneud.

Ysywaeth, nid y maes chwarae ydi'r unig ofid, ond y Gymraeg ei hun. Mae'r Gymraeg naturiol yn dioddef, mae'r Gymraeg afrosgo yn ffynnu – yn arbennig ar y cyfryngau dylanwadol a ddylai wybod yn amgenach.

Clywed am 'wn barilau dwbwl' yn y newyddion ddechrau'r wythnos. 'Gwn dau faril' ydi'r hen Gymraeg syml, naturiol. A dyma bwt i hoelio hynny ar y cof. Cwrdd Llenyddol ym Meddgelert ar dro'r ganrif. Wil Oerddwr, ewythr ac arwr T. H. Parry-Williams, ar y llwyfan, a bardd lleol yn ei herio gyda'r rhigwm byrfyfyr hwn:

> Pe cawn i wn dau faril
> A b'ledi mawr fel swej,
> Mi saethwn i fardd Oerddwr
> I lawr o ben y stej.

Ond y gair sy'n dioddef fwyaf o'i orddefnyddio ydi 'adeiladu'. Ar y cyfryngau mae'n golygu *build, construct, manufacture, make* er ei bod yn symlach i *godi* tai a phontydd, i *wneud* neu *agor* ffordd. Yn wir, clywais am adeiladwr bomiau ar y teli!

Felly dyma galennig hwyr gen i i'w osod ar barwydydd pencadlysoedd y radio a'r teledu i rybuddiol ddangos pryd y medrir iawn-ddefnyddio'r gair adeiladu – sy'n anarferadwy ar lafar. 'Am graig i adeiladu fy enaid chwilia'n ddwys'.

TRYCHINEBAU
21 Ebrill 1989

Yn fy nydd fe fûm i'n un o ddilynwyr eiddgaraf y bêl-droed ac, yn wir, y cyntaf rwy'n credu – dan yr enw 'Y Gwyliwr' yn *Y Cymro* – i ysgrifennu colofn Gymraeg gyson am flynyddoedd am y gêm. Heb amheuaeth y mwyaf rhyfeddol o'r holl feysydd pêl-droed ydi Anfield – maes Lerpwl – sydd yng ngolwg maes enwog arall y ddinas – Everton. Ac arbenigrwydd Anfield ydi'r *Kop* lle mae'r miloedd o gefnogwyr tu ôl i'r gôl yn sefyll yn dorf ryfeddol ei brwdfrydedd a'i harabedd a'i gwreiddioldeb a'i chanu.

Ac yr oedd 'na elfen o wirionedd yng nghred John Eilian mai Lerpwl – ac nid Caerdydd – fu prifddinas Gogledd Cymru. Yno y tyrrai'r gweithwyr i'r dociau; i'r gweithfeydd; i'r swyddfeydd; i'r ysgolion; ac i'r ysbytai a oedd yn gyforiog o nyrsus Cymreig. A thros bum cant o adeiladwyr Cymreig – y mwyafrif o Fôn – a gododd y rhesdai clòs yn Anfield ac Everton. A chymysgedd o Gymry, Gwyddelod a Saeson a wnaeth Lerpwl yn Gaernarfon Lloegr – dinas Sgowsars, tre Cofis.

Ond mae'r dyddiau mawr ar ben a heddiw y ddinas garpiog ond balch sy'n wylo am ei phlant a gollodd eu bywydau trwy ddamwain a chamgymeriadau wrth ddilyn eu tîm buddugoliaethus i Sheffield.

Mae'r ymlyniad hwn wrth ymgnawdoliad o ddinas neu wlad yn beth rhyfedd. Er mai un ar ddeg digon cymysgryw fyddai'n cicio mi fyddai fy mab Robin, pan oedd o'n gwb, yn crio bob tro y byddai tîm Cymru'n colli. Ac ymgnawdoliad a balchder dinas Lerpwl ei hun ydi ei thîm pêl-droed. Dyna pam mae'r dagrau mor heilltion.

Ond at ymlyniad gweddol gyffelyb arall rydw i'n dod. Ymlyniad wrth eich gwlad a'ch pobol a'ch iaith eich hunan – a'r ymateb pan mae'r cyfan o dan fygythiad.

Yn Nhŷ'r Arglwyddi nos Fercher rhoddodd yr Arglwydd Prys Davies y cyfle cyntaf i'r Llywodraeth ddatgan ei hagwedd at broblem y mewnlifwyr sy'n bygwth tanseilio'r hyn a gadwyd o'r hen etifeddiaeth Gymreig. Ac anghymwynas oedd i'r newyddion radio awgrymu i'r Llywodraeth wrthod y dadleuon ac mae'n warthus o beth na welodd papurau fel y *Daily Post, the paper for Wales* a'r *Guardian* yn dda i gyfeirio at y ddadl o gwbl. Oherwydd o bob carfan o Dŷ'r Arglwyddi, gan gynnwys y Llefarydd dros y Llywodraeth, fe dderbyniwyd dadleuon yr Arglwydd Prys Davies gyda chydymdeimlad cyfrifol, ac yn y *Western Mail* y bore Gwener hwn wele gadarnhad fod 'na rywfaint o symudiad eisoes a'r Llywodraeth yn ystyried newid yn y deddfau cynllunio i roi'r flaenoriaeth i'r Cymry sydd ar ôl eu cartref cyntaf dros fewnlifwyr goludog yn y farchnad dai gystadleuol Gymreig.

Rwyf newydd ddarllen yr adroddiad llawn o'r ddadl ac mae angen amser i ymbwyllo uwchben datganiad Arglwydd Trefgarne ar ran y Llywodraeth, ac mae'n well i mi wneud hynny'r wythnos nesaf yn hytrach na rhuthro i gasgliadau heddiw.

Yr oedd 'na rai argymhellion nad oedd y Llywodraeth yn barod i'w hystyried – megis cyfyngu rhai ardaloedd i'r Cymry Cymraeg, a greai, yn ôl yr awdurdodau, *ghettos*. Ac roedd 'na hen bwysleisio ar faint yr help a roddir eisoes i'r Gymraeg, sy'n gydnabyddiaeth fod 'na ddyletswydd. Ond, os profa ystadegau nad ydi'r help yn ddigonol, a fydd 'na barodrwydd i wneud rhagor? A'r sylw fod y Llywodraeth hon yn helpu mwy ar leiafrif fel y Cymry Cymraeg nag a wna crynswth y Llywodraethau Ewropeaidd eraill – ynghlwm wrth awgrym y gallasai'r Llywodraeth wrthod â derbyn Siarter Lleiafrifoedd y Gymuned Ewropeaidd yn ei chyfanrwydd – yn rhywbeth i genedlaetholwyr Cymru a'r Alban ei ddwys ystyried.

Awgrym hefyd y bydd adroddiad y Bwrdd Iaith yn cael ystyriaeth gydymdeimladol. Ond, yn ôl y rhagolwg, annog canllawiau yn hytrach na deddfau – a dim pwys am Ddeddf Iaith fydd yn hwnnw. A bydd yn rhaid holi beth ydi gwerth canllawiau heb fod 'na bont? A rhaid nodi mai ar arfordir diwydiannol y De y mae llwyddiannau mawr Walker, nid yn y Gorllewin Cymreig tlawd. A nodi'r anesmwythyd yn y Gymru Gymraeg wrth sylweddoli na fedrir dibynnu mwyach ar Aelodau Seneddol unrhyw blaid i wir wynebu'r mewnlifwyr am fod eu pleidleisiau bellach yn troi'n allweddol. Beth felly ydi'r cam nesaf? Fydd 'na ddim trafod y broblem gan y tîm pêl-droed cyflawn sy'n ymladd am sedd Bro Morgannwg, er i fewnlifwyr greu trychineb mwy nag un y bêl-droed yn y fan honno – difrodi iaith a diwylliant hen genedl. A dyfynnu o un o emynyddwyr mawr y Fro,

> Pa feddwl, pa 'madrodd, pa ddawn,
> Pa dafod all osod i ma's

faint y trychineb hwnnw?

TRAGWYDDOLDEB
1 Medi 1989

Rydw i – jest am heddiw a jest i 'mhlesio fy hun am unwaith – am newid peth ar gywair y sgwrs.

Mae yna rai pethau annirnadwy yn creu dryswch ac yn codi arswyd arnaf, ac un o'r pethau hynny ydi'r llong ofod sydd wedi teithio miloedd o filiynau o filltiroedd cyn cyrraedd y blaned Neifion. Ond nid y daith hirfaith hon ynddi ei hun sydd yn codi'r ofnau a'r amheuon a'r cwestiynau ond ei rhawd ar ôl hynny: y daith i'r gwagle y mae hi arni erbyn hyn, y daith na bydd terfyn arni. Mae hi'n ffarwelio nid â hyn o fyd ond â hyn o fydysawd ac yn chwyrlio o afael ac o olwg y deyrnas lle mae'r haul yn frenin a thu hwnt i'r sêr ac ymlaen am fyrddiynau o ganrifoedd trwy diriogaethau na wyddon ni am eu bodolaeth. Ac oni ddigwydd rhyw ddamwain iddi, mi fydd, meddan nhw, yn dal i wibio tua thragwyddoldeb am dragwyddoldeb, a heibio i'r dydd pan fydd yr hen ddaear yma'n dadfeilio gan ddarfod amdani.

Peth anodd ydi hyd yn oed meddwl am yr ofnadwy awr honno a ragwelodd yr emynwyr a'r beirdd, pan siglir cedyrn binaclau y ddaear; pan fo Sinai i gyd yn mygu; pan fo Môn a'i thirionwch o wres fflam yn eirias fflwch; pan dderfydd dydd a derfydd daear; pan yrr y sêr eu cryndod trwy dy waed gan siglo dy gredoau megis dail. Does dim byd yn aros am byth, dim hyd yn oed priodasau brenhinol.

Anos fyth ydi dirnad tragwyddoldeb. Fe fu hyn yn ddirgelwch i mi pan oeddwn i'n blentyn ac mae'n dal i fy mhensynnu hyd bendro. Ydi hi'n bosib mynd a mynd a mynd heb gyrraedd unman? A phe baech chi'n medru cyrraedd rhyw ben draw yn rhywle, beth sydd y tu hwnt i hwnnw? Oes yna'r fath beth â diddymdra? Rhyw ddiwrnod mi fyddwn, bob un ohonom, yn gwybod pob peth – neu'n gwybod dim byd. Yn y cyfamser, does yna un dim ond pensyfrdandod.

Ond un ffaith a ddaeth i'r golwg, meddan nhw unwaith eto, ydi'r annhebygolrwydd fod yna fywyd yn unman yn y bydysawd mawr sydd o'n hamgylch; nid ar y planedau, nid ar yr un o'r myrddiynau o sêr, dim ond ar yr hen ddaear yma. Ein bod ni'n fyw yma sydd fawr ryfeddod. Ydan ni'n haeddu cael byw yma sydd fater arall. Meddyliwch beth ydan ni wedi ei wneud i'n bywyd ac i'n byd. Os edrychwch trwy lyfr hanes y ddynoliaeth fe gewch ym mhob gwlad ac ym mhob cyfnod y gwerinoedd dan ormes a than fflangell yr ychydig breintiedig, ac o dan draed y byddinoedd. Ac ystyriwch beth wnaeth y dyn gwyn i'r dyn du yn Affrica, i'r dyn coch yn America, i hen drigolion Awstralia a Seland Newydd, a rhowch eiliad fach i gofio amdanon ninnau, yr hen Gymry darfodedig.

Faint o ddioddef fu yna yn y chwyldroadau mawr yn Ffrainc, Rwsia, China? Sawl Hitler fu yna erioed?

Meddyliwch beth sy'n digwydd yn Ne Affrica heddiw, lle mae yna Gymry yn gloddesta a chwarae rygbi tra bo'r hen frodorion yn cael eu crogi a'u saethu a hyd yn oed eu plant yn cael eu heidio i'r jêl am hawlio mai rhan o'r ddynoliaeth ydynt hwythau. Meddyliwch beth mae'r Iddewon, a ddioddefodd gymaint eu hunain, yn ei wneud i hen drigolion y Balesteina y bu Crist yn rhodio'i daear i gyhoeddi ewyllys da i ddyn. Meddyliwch hefyd beth ydan ni'n ei wneud i'r ddaear ei hun: llygru ei hafonydd, ei moroedd, ei choedwigoedd, ac mae hyd yn oed y bwydydd ar silffoedd y siopau mawr yn afiach. A chysgod yr atomfeydd dros y cyfan oll.

A oes yna ochr olau? Efallai fod. Ond o Rwsia, yr ydan ni'n gwario'n golud i ymarfogi yn ei herbyn, mae'r llygedyn yn dod. Ond dydi o ddim yn dod yn esmwyth. Mae holl genhedloedd y wlad fawr wedi clywed gair newydd: rhyddid. Mae yno ddeffro, a'r deffroadau'n mynd i greu problemau mawr i gyfundrefn fiwrocrataidd, ganolog. Felly, gwyliwch Wlad Pwyl, y gyntaf o'r gwledydd Comiwnyddol i'w lled-ddemocrateiddio. Ydi'r wawr yn torri ar ryw fore braf gerllaw, ynteu llwynog ydi o? Amser a ddengys; yr amser nad oes terfyn arno. Yn y cyfamser, yr ydan ni yma o hyd.

SADWRN SYFRDAN
17 Tachwedd 1989

Yr oedd hi'n Sadwrn i'w gofio i'r miliynau. Rhwygwyd y Llen Haearn, drylliwyd yn chwilfriw ddorau Babel a llifeiriodd gwerin yr Almaen o ddwyrain i orllewin yn ninas ranedig Berlin. Roedd yna ŵr ym Moscow o'r enw Gorbachev wedi creu gwyrthiau, a'i bresenoldeb yn unig, yn China, yng Ngwlad Pwyl, yn Nwyrain yr Almaen, wedi codi'r gwerinoedd ar eu traed i hawlio'r hyn a ddylai fod yn eiddo i bob dyn byw, sef rhyddid.

Llifodd caethion yn finteioedd, torf ar dorf gan orfoleddu, drwy fur bylchog eu prifddinas. Dymchwelwyd llywodraethau yn ddi-drais, tynnwyd y barrau heyrn yn ôl. Wele un o ddyddiau mwyaf y ganrif. Chwyldro – er ei bod yn rhaid i mi gytuno â'r Hen Wyddeles fod gan bob chwyldro ei beryglon am y medr gyflymu afon bywyd yn ormodol gan ddymchwel heb adeiladu.

Nid dros nos y gwellheir y gwledydd Comiwnyddol o'u hafiechyd gwleidyddol ac economaidd ac nid yw rhyddid ynddo'i hunan yn golygu bara hefyd. Eisoes mae yna leisiau'n holi a ddylai fod yna Almaen unedig nerthol yn Ewrop. Dyddiau i amynedd yn ogystal â gorfoledd, ond dyddiau mawr.

Dydd Sadwrn, hefyd, fel roeddwn yn dychwelyd o angladd, dyma nodyn o lawenydd cenedlaethol Cymreig yn llais Hugh D. Jones. 'Mae'n Ŵyl Gerdd Dant heddiw,' meddai, 'a does yna'r un Ŵyl gyffelyb i hon yn yr holl fyd.' Mor wir. Ynghanol caniadau cras, afrywiog newydd y diwylliant pop Seisnig, y mae yna o hyd gydwladwyr sy'n glynu wrth y gwreiddiau sy'n ein cadw ni'n genedl unigryw. Bu Hugh Jones ei hun yn un o'r ceidwaid hynny yn Eifionydd er pan ddaeth yn ysgolfeistr i'r plant ac yn was i'r hen gymdeithas yn Llangybi gan barhau gofalaeth odidog Eliseus Williams o'i flaen. Er ei fod wedi ymddeol i'w henfro yn Nefyn mae'n dal i ofalu am 'y pethe', yn ogystal â bod yn gapten a thrysorydd Clwb Golff Portin-llaen i brofi nad gêm i'r crachach ydi hi yn Llŷn.

Ond yn Eifionydd Sadwrn o alar cwmwd oedd hi. Yr angladd oedd un John Henry Jones, Tyddyn Llan, a fu'n geidwad 'y pethe' yn Llangybi. Doedd dim rhaid i mi holi: pwy sy'n dwyn y brenin adref? Yr oeddwn yn

adnabod y rhan fwyaf. Hen drigolion gwasgaredig
Eifionydd wedi dychwelyd tua thref i dalu'r deyrnged a'r
gymwynas olaf. Capel Helyg yn llawn y Sadwrn hwn a
minnau'n fy holi fy hun: pa bryd y gwelais i gapel llawn
yn Eifionydd ddiwethaf? Cofio. Pan gaewyd drysau capel
bach Cwmcoryn ar noson waith. Rydan ni'n rhai da am
ffarwelio, beth bynnag am gynnal. Fe fyddai yna ganu
godidog yng Nghapel Helyg erstalwm a llais John Henry
gyda'r cyfoethocaf. Roedd fy nhad ac yntau'n aelodau o
gôr Capel Helyg a gystadlai ym Mhrifwyl Caernarfon yn
1921 a daethant â'r gyfrol fechan swllt o'r Cyfansoddiad-
au adref yn eu pocedi. O honno y cafodd Owen Hughes,
yr hen lanc oedd yn byw yn yr Elusendai ar bwys Tyddyn
Llan, flas ar adrodd 'Mab y Bwthyn', Cynan, mewn sawl
cwrdd.

Ym Modowen, ym mhen arall y pentref y ganed fy
mam a fu'n cydchwarae â chwiorydd John Henry, a
Henry Jones, ei dad, yn fêts mawr efo fy nhaid a oedd yn
adnabod taid John Henry, sef Ifan Jones, Y Plas, Chwilog
– amaethwr a chynganeddwr yn cynnal traddodiad Dewi
Wyn a Robert ap Gwilym Ddu. Dyma ei englyn i
Genfigen, ar gyfnod pan oedd yn rhaid cynnwys enw'r
testun yn yr englyn ei hun:

> Cenfigen ladd dan wenu, – dwyn ei gledd
> Dan ei glog i waedu,
> Ac mae'n od, rhydd ddyrnod ddu
> I'w pherchen am ei pharchu.

Roedd John Henry yntau, fel ei fab Prys, yn englynwr
penigamp; yn bopeth, yn wir, i'w fro a'i gymdeithas. Yn
y teyrngedau graenus a dalwyd iddo nid anghofiwyd ei
hiwmor tawel, cyrhaeddbell. Soniwyd am fewnfudwr o

Sais yn cydgerdded ag ef i Gwrdd Plwyf yn Ysgol Llangybi ac yn dweud:

'I hope the meeting is bilingual.' A John Henry yn ateb: *'Oh, I didn't know you were bilingual!'*

Pan ganwyd geiriau Eben Fardd, a fu'n cadw ysgol yn llofft yr ysgol ganllath o Dyddyn Llan, caed canu nes codi'r to

Rhof fy nhroed y fan a fynnwyf
Ar sigledig bethau'r byd...

ni fedrwn beidio â meddwl am yr etifeddiaeth yn Llangybi, yn Eifionydd, yn y Gymru Gymraeg. Mae drysau hen Eglwys Llangybi ynghau; mae'r achos yng Nghapel Helyg, un o eglwysi Annibynnol hynaf Cymru, yn hynod wantan; mae'r arweinyddion yn ymadael â'r fro ac â'r byd hwn a'r bylchau'n cael eu cau, os eu cau hefyd, gan Saeson. Os oes yna lawenydd yn Ewrop mae yna bryder yng Nghymru.

TECWYN
28 Awst 1992

Un o'r chwedlau cyfoes ydyw – does yna ddim cymeriadau bellach. Ac, fel pob chwedl, dydi hi ddim yn wir.

Pan oeddwn i'n fyfyriwr ym Mangor 'slawer dydd roedd yna bryd hynny hefyd gymeriadau o 'nghwmpas i ym mhobman, ac o leia' ddau arbennig iawn. Harri Gwynn yn un. Ei arferion, ymadroddion, a hyd yn oed ei lais nid ychydig bach ond lot fawr yn wahanol i'r rhelyw.

A'r llall, D. Tecwyn Lloyd, Tec neu Tec Lloyd i bawb. Dau ecsentrig y ces y cyfle a'r fraint o adnewyddu'r hen gyfeillgarwch â nhw 'mhen llawer blwyddyn. Â dau gymeriad y bu'n rhaid i mi, ysywaeth, eu coffáu; dau na fedrir eu hanghofio.

Un o nodweddion mawr a hoffus Tecwyn oedd ei ddireidi. Mi fedrid haeru, heb gyfeiliorni'n ormodol, ei fod yn gyffelyb i Iolo Morganwg fel tynnwr coes cenedlaethol; y ddau'n tynnu coesau diwylliannol cenedl. Ond yr oedd yna wahaniaeth: triciau Iolo yn mwy nag ymylu ar dwyll am fod ganddo ei resymau ei hunan dros gynllwynio'r cyfan, tra oedd Tecwyn yn tynnu coes er mwyn cael tynnu coes gan roi pin mewn ambell swigen ar yr un pryd â phwffian chwerthin wrth wylio'r effaith.

Yr oedd a wnelo ei dras a'i fro bron bopeth â'i arbenigrwydd. Yn nai i Lwyd o'r Bryn, roedd Tecwyn, yn ei ddull mwy soffistigedig, yn gymaint o gymeriad ag yntau; yn wir, Llwyd o'r Bryn llai diniwed wedi cael coleg oedd Tecwyn. Chollodd yr un o'r ddau yr afael leia' ar eu cefndir, cynefin diwylliannol goludog Penllyn ac Uwchaled; yr unig beth a gollodd Tecwyn oedd yr 'er'. Ac o'r llu o bersonoliaethau lliwgar a bortreadodd gyda'i ruban o arddull atyniadol yn ei ysgrifau daw'r crynswth o'i henfro ei hun.

Eto, doedd dim yn blwyfol yn Tecwyn. Ac roedd ganddo'r diddordebau rhyfeddaf, yn amrywio o wneud galwyni o win o godau pys i gaboli cerrig neu saethu colomennod clai, a phe digwyddai i ffesant groesi ei lwybr un byrhoedlog ei ddyddiau fuasai hwnnw. Ac mi fedrai synnu megis plentyn, ond nid yn blentynnaidd. Oedd, roedd y gwalch Llwyd yn dipyn o dderyn.

Hel llyfrau, wrth gwrs, yn hen bleser, a'i lyfrgell enfawr yn pwysleisio ei ysgolheictod ynghyd â'i gariad at y pynciau mwyaf astrus ac annisgwyl. Popeth anarferol yn apelio ato: y goruwchnaturiol, fel enghraifft, a'i gyfrol *Rhyw Ystyr Hud* gan y dychmygol E. H. Francis Thomas yn esiampl o'i ddiddordebau a'i ddireidi. Datblygiad naturiol y ddaear a'i dirgelion sydd rhwng y sêr wedi ei helaeth lygad-dynnu hefyd.

'Yli,' meddai unwaith, 'mae 'na dyllau duon yn y gofod y gallaset ti syrthio i un ohonyn nhw ac, ar dy ffordd i lawr, gyfarfod â thi dy hun ar dy ffordd i fyny.'

Cofiaf i mi ddiolch iddo am y rhybudd, a'i sicrhau y buaswn yn cadw'n glir iawn o'r fath lefydd. Ond ymhen llawer blwyddyn fe eglurwyd i mi fod y fath bosibilrwydd yn debygol.

Pan oedd yn fyfyriwr (ac yr oeddem yn glòs iawn dros y pedair blynedd) byddai'n treulio nosweithiau segur yn ysgrifennu hanes diwylliant hollol ddychmygol a alwai yn Erimot, iaith a llenyddiaeth tylwyth a drigai mewn dyffryn rhywle yn Tibet oedd mor ddyfn nes bod yr iaith yn fwy gyddfol ar ei lawr nag ar ei dop am fod pwysedd yr awyrgylch yn fwy yn y fan honno. Esiampl arall o'i orhoffedd o droi rhywbeth a oedd eisoes yn ddyrys yn fwy dyrys byth. Ac yn un o'i gyfrolau diweddaraf, *Cofio Rhai Pethe a Phethe Eraill*, mae'n dychwelyd ym mhob sobrwydd i ddadansoddi ychwaneg ar y llenyddiaeth Erimotaidd. Ac eto, yn rhyfedd iawn, nid apeliodd cymhlethdod y gynghanedd ddigon ato iddo ymhél â hi o gwbl, hyd y gwn i.

Un o'r llyfrau bach a gyhoeddodd yn breifat yw *Baled Ned Sera Jôs*, y cowboi eon a'i ynnau wrth ei wregys a gerddodd trwy'r gwaed yn salŵn y Gorllewin Gwyllt ac wrth y bar ordro sarsparila yn enw Cymdeithas Ddirwest Merched Gwynedd. Cyfrol breifat arall yw casgliad o gerddi Miss J. M. Davies, gynt o'r Rhondda, a anfonwyd i'r cylchgrawn *Barn*. Ei gwir enw, wrth gwrs, oedd D. Tecwyn Lloyd. Ac ef hefyd (sy'n newydd i'r rhan fwyaf) oedd yr H. E. Williams fu'n cyfrannu i'r *Llenor*. Ac ym mlynyddoedd y rhyfel, ar femrwn llosgedig ei ymylon ac mewn Saesneg hynafol, anfonodd lythyr yn enw'r Diafol at Gwilym Lloyd George, y Gweinidog Ynni, yn galw am ddogn helaeth o lo i uffern, lle'r oedd gormod o ffrindiau'r Gweinidog yn rhynnu.

Am rai blynyddoedd, wedi iddo fod yn Rhufain ac yng Ngholeg Harlech a chyn ei faith olygyddiaeth o *Taliesin*, buom yn cydweithio yn Swyddfa'r *Cymro*, a Tecwyn yn gyfrifol hefyd am gwmni Hughes a'i Fab. Ac wele adnewyddu'r hen gymdeithas wedi i ni'n dau ymddeol a dychwelyd i'r hen gynefinoedd. Hen seiadu a hwyl a chael ganddo rai o'i gampweithiau diweddarach, megis Pumed Gainc y Mabinogi, na welir byth eu cyhoeddi, neu chwedl perthynas gwraig amlwg ym myd addysg â llenor adnabyddus na feiddid ei chyhoeddi; heb sôn am gardiau addurnedig, a'r cyfan ar felwm. A hyd yn oed tu ôl i'w ysgolheictod deuai peth o'r direidi i'r golwg.

A phan ailafaelwch chi yn ei gyfraniad mwyaf, ei gyfrol ar Saunders Lewis, sylwch yn arbennig ar y troednodiadau. Dyma lle gwelir rhychwant gwybodaethau'r awdur a'ch gwneud i deimlo mai'r briwsion yma oedd yn gwneud y dasg fawr yn un mor bleserus iddo.

> Gwae Wynedd na bai heddiw
> Gant yn fud ac yntau'n fyw.

DINAS EMRYS
14 Mai 1993

Dyrchafodd llais y wlad yn hyglyw yn erbyn yr oruchwyliaeth bresennol y dydd Iau o'r blaen ac mae'r eco yn dal i atseinio trwy'r coridorau gwleidyddol. Ond a oes yna rywun a *ddylai* wrando *yn* gwrando?

Ydach *chi* yn gwrando, David Hunt? Yn gwrando pan ymbiliwyd arnoch yn awr i ailystyried yr ad-drefnu ar Lywodraeth Leol Cymru? Oherwydd eich plaid chi, heb ymgynghori ag undyn, a sefydlodd y drefn bresennol am fod yr awdurdodau'n rhy fach. A chi, heb ymgynghori'r tro hwn chwaith, er bod yna Gomisiwn i ystyried yr holl oblygiadau yn Lloegr, sydd am ddymchwel y gyfundrefn am fod yr awdurdodau yn rhy fawr. Ond wrandawsoch chi ddim, yn naddo David Hunt? Eich meddwl wedi ei hoelio am ddyrchafiad yn y Cabinet a'r ffarwél i Gymru, siŵr gen i.

Tybed, mewn difrif, a ydi'r dyrnaid o Seneddwyr Torïaidd sydd gynnon ni – yr unig rai y gallesid gwrando rhywfaint arnyn nhw – yn amgenach na chŵn bach i'r Llywodraeth? Ystyriwch Addysg. Yn yr Alban nid yw'r helbul sydd rhwng yr athrawon a'r rhieni a'r Llywodraeth ddim yn bod am i'r Albanwyr ofalu eu bod nhw'n cael eu trefn eu hunain, yn wahanol i Loegr. Chawson ni ddim am na chafodd ei hawlio'n ddigonol. A aeth hyn trwy eich meddwl chi, Syr Wyn, wrth wylio hanes taclus eich gyrfa ddibinacl ar y teli nos Iau diwethaf? Ysgwn i!

Ac yn yr Alban dyw hyd yn oed y dŵr ddim wedi ei breifateiddio am fod yno hyd yn oed aelodau Torïaidd sy'n barod i godi eu llais dros y bobl.

Sawl Tori Cymreig a gododd lais yn erbyn y dreth ddieflig a ddaw – rhag codi'r dreth incwm ar y da eu byd – ar danwydd yr henoed y gaeaf nesaf? Dim un. Yn hytrach, dacw nhw'n pleidleisio trosti! A chaiff hynny mo'i anghofio.

Os ydi polisïau economaidd y Llywodraeth yn rhy ddyrys i mi, mae rhai yr Hen Gorff yn rhy ddieithr. Yr ymwybyddiaeth o ddyled ydi'r unig gyffelybrwydd. Ond os ydi'r Llywodraeth wedi gwerthu'r dodrefn i dalu'r rhent mae'r Hen Gorff hefyd wedi gorfod preifateiddio llu o'i eglwysi gweigion ac aml dŷ gweinidog. Ac at y tai hynny rydw i'n dod, un yn arbennig. Ar werth: tŷ nobl a helaeth 'Clywedog' yn y Rhewl yng Nghlwyd. Pris: pedwar ugain mil o bunnau.

Ond mae'r cartref hwn ag enw'r afon arno yn fangre arbennig iawn. Yma y bu Emrys ap Iwan yn trigo pan ddaeth yn weinidog i'r Rhewl. Yma y bu'n gwrando, ar ei wely angau, ar blant y fro yn canu o'r tu allan i'w gysuro (ac mi wnaeth ef gymaint ag undyn o'r ganrif o'r blaen dros blant) ac yn y tŷ gweinidog hwn hefyd y bu'r hen lanc farw yn y flwyddyn 1906; ac ym mynwent y Rhewl y gorffwysa.

Does dim cymaint o sôn amdano heddiw ag a fu; ond gan genedlaetholwyr newydd yr ugeinfed ganrif, pobl fel Saunders Lewis a Gwynfor Evans, fe glywyd rhagor am Emrys ap Iwan nag am Lywelyn ein Llyw Olaf na Glyndŵr, y ffefryn diweddaraf. Roedd Emrys ap Iwan yn Genedlaetholwr ac Ewropead; ei hen nain yn Ffrances a ddaeth i fyw i Gastell Gwrych. O'i herwydd hi ymdrechodd i ddysgu Ffrangeg a manteisio hefyd ar gymydog o Almaenwr er mwyn dysgu Almaeneg gan fynd yn athro Saesneg yn Lausanne yn Y Swistir cyn dychwelyd i baratoi ar gyfer y weinidogaeth gyda'r Hen Gorff. Ond oherwydd ei safiad dros y Gymraeg a'i wrthwynebiad i gefnogaeth ei Gyfundeb i'r achosion Saesneg, yr Inglis Côs, ar gyfer mewnfudwyr (rhai rydan ni'n dal yn ymwybodol ohonyn nhw) chafodd o mo'i ordeinio tan 1883. Yn Rhuthun a'r Rhewl y gweinidogaethodd weddill ei oes gan gyfrannu'n helaeth a phlaen i'r cylchgronau Cymreig. Cyhoeddwyd ei bregethau a'i homilïau gwerthfawr wedi iddo farw. Gŵr heb flewyn ar ei dafod. Gŵr gwleidyddol er nad oedd yn wleidydd ac ef a luniodd y gair 'ymreolaeth'. Gwladgarwr mawr a cheidwad mawr yr iaith.

Mae'r penderfyniad i werthu ei hen gartref wedi ei wneud, ac felly waeth i mi heb na siarad. Ond mi ddywedaf hyn, beth bynnag a ddywed unrhyw ddeddf hiliol: os gwerthir y cartref hwn, o bob un, i estroniaid, wn i ddim sut y̆ medrai'r digyfaddawd Emrys orffwys yn dawel yn ei fedd.

Fel y mae pethau does yna na maen na chofnod ar ei furiau a gallasai'r Hen Gorff wario rhywfaint o arian y gwerthiant ar hynny, o leiaf. Mae'r fynwent helaeth, lle mae'r bedd, yn faich mawr hefyd ar eglwys y Rhewl er bod ynddi oddeutu cant o aelodau o hyd. Medrid neilltuo cyfran o'r arian i helpu yn y cyfeiriad hwnnw hefyd a thuag at barhau i ofalu am feddrod yr hen wrthryfelwr gwlatgar. Oherwydd mae rhin ym mêr y meirwon mud a'n ceidw ni fyth yn fyw.

YR APÊL AT HANES
10 Medi 1993

Pan mae tîm Cymru'n colli, fel y medr o wneud yn aml,
byddaf yn dweud wrthyf fy hun – twt, doedd hi ddim
byd ond gêm yn y diwedd. Ond er bod hynny'n wir
mae'r briw yn mynnu aros. Ni chollodd Cymru gêm bêl-
droed fawr yng Nghaerdydd nos Fercher, ond ni
wnaethant ennill chwaith gan ddifrifol wanhau'r posibil-
rwydd o fynd i'r ornest am Gwpan y Byd yn America.

Ledled daear, fodd bynnag, mae yna ysgarmesoedd
mwy gwaedlyd a'r canlyniadau terfynol heb eu cyrraedd
eto. Yn y Dwyrain Canol mae'r gobaith yn cryfhau fod y
gêm lofruddiog a barhaodd am bron i hanner mlynedd
yn dirwyn i ben, ac yn Ne Affrica, wedi chwarae llawer
hwy, mae'r gêm fudr yn y fan honno yn nesáu at yr olaf
bib, a hyder fod y gêm trosodd yn Johannesburg, yn
Jerusalem ac yn Jericho. Ond yn yr hen Iwgoslafia – yn
yr unig gêm lle mae'r Cenhedloedd Unedig yn bresennol
fel y gwylwyr diffaith, diymyrryd – mae'r hyn a elwir yn
amser ychwanegol yn cael ei ymestyn a'i ymestyn: ei
angheuol ymestyn.

Am y tro, fel newid, rwyf am fynd yn llawer iawn
pellach yn ôl na'r ymrafaelion cyfoes, sef at ysgarmes-
oedd yr hen fyd, ac am un o'r ysgarmesoedd hynny mae'r
hynaf o'n cerddi cadwedig, Canu Aneirin, yn ei lliwgar
ddarlunio: cerdd am y trichant o wŷr arfog – hanner llu
Light Brigade y Saeson ymhen canrifoedd – a aeth i'r
frwydr. Mynd i Gatraeth am resymau na thrafferthir i
gyfeirio atynt a heb i un ohonynt ddychwelyd; ac roedd

rhyfel bryd hynny – ryw bymtheg can mlynedd yn ôl – yr un mor ddirdynnol ei ganlyniadau â'r ymladd yn Bosnia. Am un o'r milwyr, meddai Aneirin: 'Seiniesid ei gleddyf ym mhen mamau.'

Rwy'n sôn am hyn am i mi fynd efo'r bws i Ogledd Lloegr ddydd Sadwrn – na, nid i Gatraeth ond i Gaerefrog. Am flynyddoedd bûm yn meddwl mynd, ac o'r diwedd – mynd – mynd er mwyn cael cip ar un o ddinasoedd hynaf yr ynys hon, ac un a lwyddodd i ddiogelu rhan helaeth o'i threftadaeth. Fe'i sefydlwyd gan y Rhufeiniaid a'i henwodd yn Eboracum – sef mangre'r coed ywen, rwy'n meddwl – ac yma y lleolwyd un o lengoedd grymusaf Rhufain, nid yn unig i wastrodi'r brodorion ond i gadw'r Sgotiaid a'r Pictiaid rheibus o eithaf y gogledd rhag rhuthro ar weddill Prydain.

Yn wreiddiol, y nawfed lleng Rufeinig a sefydlwyd yn Efrog – ac fe olygai lleng Rufeinig chwe mil o wŷr arfog – sy'n gryn fyddin. At ei gilydd fe ofelid am yr heddwch –heddwch Rhufain – ym Mhrydain gan bedair lleng ac mae'n arwyddocaol fod tair ohonynt yn gorfod cadw un llygad ar y wlad a ddaeth yn Gymru, gyda'r ail leng yng Nghaerlleon a'r ugeinfed yng Nghaer.

Mi soniais am y brodorion – a phwy oedd y rheini? Wel, y rheini oedd yr hen Frythoniaid, aml eu llwythau, eich cyndadau chwi a minnau. Ond pe baech yn darllen yr holl lenyddiaeth sydd yn yr holl bamffledi sy'n adrodd hanes y ddinas, ac sydd i'w cael yn helaeth yn Efrog, neu pe buasech chwi'n gwrando ar y *guides* sydd ar y bwsiau sy'n rhedeg bob chwarter awr trwy'r hen dref a'i hynafol ryfeddodau, a'i strydoedd bach culion, mi fuasech yn meddwl mai un o drefi'r Saeson a feddiannwyd tros dro gan y Rhufeiniaid oedd hi.

Nid felly y bu hi o bell ffordd chwaith. Ni ddaeth Saeson erioed i gysylltiad â'r Rhufeiniaid ac nid oes yr un gair o wreiddyn Lladin yn yr iaith Saesneg ar wahân i'r rhai a fabwysiadwyd gan ysgolheigion tros y canrifoedd a hyd heddiw. Ond buom ni, sy'n Gymry, yma yn eu cwmni am bedwar can mlynedd gan dderbyn ugeiniau lawer o eiriau Lladin i'n hiaith bob dydd. Geiriau mor gyffredin â *braich* a *ffenestr* – heb sôn am enwau holl ddyddiau'r wythnos a hanner y misoedd sydd wedi dod yn uniongyrchol o'r Lladin.

Ond, fel y dywedodd Siôr y Chweched, er mai hanner y gwirionedd oedd ganddo, hanes Efrog ydi hanes Lloegr a'r Saeson sydd piau'r eglwys gadeiriol oludog sydd yn un o eglwysi mwya'r byd – a gymerodd ddau gant a hanner o flynyddoedd i'w chodi. Ac ym mynwentydd Efrog fe orwedd dinasyddion mor annhebyg i'w gilydd â Dick Turpin – yr enwocaf o'r lladron pen-ffordd a grogwyd yn y dref – a theulu Rowntree enwog am eu siocled a'u helusen.

Fel roeddwn yn dychwelyd adref nos Sadwrn o olwg bron i ddwy fil o flynyddoedd Caerefrog tua Chaer Saint – sydd lawn cyn hyned – ni fedrwn beidio â'm holi fy hun: beth tybed, a phwy tybed fydd yn y naill gaer a'r llall ymhen dwy fil o flynyddoedd?

TOCYN SIAWNS
27 Mai 1994

Yn wleidyddol, y ddau bwnc mawr yw: pwy fydd arweinydd newydd y Blaid Lafur, a phwy fydd yn cario'r dydd yn yr Etholiadau Ewropeaidd – swydd ddaw â'r cyflog taclus o un fil ar ddeg ar hugain, chwe chant wyth deg saith o bunnau'r flwyddyn am bum mlynedd a chyda treuliau rhyfeddol o hael am fod oddi cartref cyhyd? Ac am arian yr wyf am sôn heddiw – ond arian na wêl neb ond y lwcus hwy, ar wahân i'r rhai sydd i redeg y sioe, sef asiad o gwmnïau mawr fel Cadbury Schweppes a de la Rue – sy'n argraffu ein harian nodau – sydd newydd ei ddadleuol benodi.

Sôn yr wyf wrth gwrs am yr ymwelydd newydd a ddaw i'n bywydau ni oll o Dachwedd ymlaen, er ei fod yn hen gyfarwydd ar y cyfandir, ac am y gair Cymraeg newydd y bydd yn rhaid i ni gytuno arno, sef ar y *National Lottery*. Hyn er bod raffl a rafflls yma eisoes. Mi welais y cynnig cyntaf ar ddu a gwyn yng nghofnodion yr Academi Gymreig lle y gwyliadwrus gyfeirir at y gambl a'i galw'n LOTERI – Loteri Cenedlaethol, er mai Genedlaethol a ddywed fy ngreddf i. Ond mi faddeuaf i'r Academi am fod mor betrus, am mai 'cloriannu' a ddefnyddia lle mae'r diafael yn y Gymraeg a'r athrawon gyda'u 'hasesu'. Y cynnig gorau yn y Gymraeg go iawn am y *Lottery* a gefais i hyd yma ydi 'tocyn siawns'. A oes yna welliant?

Gyda'r ticedi'n debygol o fod yn bunt yr un a'r posibilrwydd o wobrau yn cyrraedd miliwn o bunnau mewn wythnos, i'r mwyaf lwcus mi fydd y tocyn siawns yma'n beth mawr iawn pan ddaw. Amcangyfrifir y gwerthir rhwng pedair a chwe biliwn o docynnau'r flwyddyn, gyda'r hanner yn wobrau – a fydd rhwng dwy fil a thair mil o filiynau o bunnau'r flwyddyn. Fe â rhyw draean yr arian at y gwir bwrpas sef at yr hyn a elwir yn achosion da sy'n amrywio o'r celfyddydau i chwaraeon, a hynny felly yn rhyw fil neu fil a hanner o filiynau'r flwyddyn. Dyma lle mae'n rhaid i Gymru, wedi setlo'r gair am *Lottery*, ofalu cael ei swm teg o'r swm anhygoel hwn. Mae yna gorff i benderfynu'n union sut y rhennir yr ysbail a dibynna cyfran cyrff megis yr Academi Gymreig, neu'r Brifwyl neu glwb pêl-droed Bangor City ar gryfder y cais. Fe addawyd hefyd na bydd yr arian ychwanegol yn lleihau'r grantiau presennol – sy'n addewid wleidyddol na fedrir dibynnu arni. Ac wrth gwrs, fe ofalodd y Llywodraeth am ei chyfran o'r da – sef deuddeg y cant – mwy nag a hawlir ar y cyfandir.

Mae'n rhyfedd na feddyliodd y Torïaid am hyn oll cyn hyn; ac os llwydda'r fenter mi allasai'r giang hon ymestyn y tocyn siawns at gynnal gwasanaethau fel addysg ac iechyd hefyd oni fyddwn wyliadwrus.

Erstalwm yr *Irish Sweep* at ysbytai Iwerddon oedd y loteri fawr – gyda'r pyllau pêl-droed ar i fyny cyn dydd y bingo. Ond wrth lenwi cwpon pêl-droed rydych o leiaf yn medru dewis a chreu eich lwc, ond lwc mwnci noeth ydi'r tocyn siawns – a sut y medr John Major efo'i holl foesoli gyfiawnhau'r hawl newydd i rai un ar bymtheg oed brynu tocyn sy'n rhywbeth iddo fo i'w egluro.

Yn oes yr Elisabeth Gyntaf y gwelwyd loteri gynharaf y wladwriaeth hon – yn 1569 – ddwy flynedd wedi Testament Cymraeg Salesbury. Y tocynnau yn chweugain – arian da bryd hynny – a'r elw at wella'r porthladdoedd. Ymhob loteri tan yr olaf yn 1826 roedd y tocynnau o gyrraedd y werin – o ddeg i gan punt yr un. Fe âi'r elw at gynnal rhyfeloedd ac at godi Pont Westminster; at gael dŵr glân trwy bibellau Llundain – gyda help y Cymro Gwilym Canoldref – a hefyd i sefydlu'r Amgueddfa Brydeinig.

Trwy'r canrifoedd mi fu yna gamblo. Byddai'r Julius Caesar a'r Mark Antony ifanc yn betio ar ymladdfeydd ceiliogod. Bu milwyr Rhufain yn gamblo am ddillad Crist. Cafwyd dis wedi ei bwyso'n anonest yng ngweddillion Pompeii. Chwaraeodd Harri'r Wythfed ddis am glychau eglwys Paul Sant – a'u colli. Ymysg gamblwyr mawr – a thrychinebus at ei gilydd – cewch Dostoevsky y nofelydd; Wyatt Earp a Wild Bill Hickock o Orllewin Gwyllt America; Descartes y meddyliwr; Casanova y merchetwr; Andre Citroen y gwneuthurwr ceir; Gordon Selfridge, sefydlydd y stordy; ac fe gollodd John W. Gates filiwn o ddoleri yn ystod 1899 wrth chwarae pocer.

Wele ddau o ddywediadau mawr y gamblwyr. Yn gyntaf – mai gambl ydi bywyd ei hun – sydd, mewn gwirionedd, yn ddadl derfynol tros beidio â chwilio am ychwaneg o gambl. Y llall ydi, ac fe'i clywch pan ddaw'r tocyn siawns – mae gen i'r un cyfle â phawb arall. Cywir. Ond mae gennych chi cyn lleied hefyd.

DWYN MAE COF
30 Medi 1994

Cyn dod at hen fardd rhyfeddol o'r ganrif o'r blaen rhaid
i mi sôn am hen gyfaill o fardd a gollwyd yn Llŷn yr
wythnos hon. Mi wyddwn fod ei frawd mawr, Charles, yn
fardd, ond er i ni fod yn gyd-ddisgyblion ym Mhwllheli
ac yn gydfyfyrwyr ym Mangor ni chefais i na'm
cyfoedion yr awgrym lleiaf fod y gwyddonydd Moses
Glyn Jones – Moss i ni – yn ymddiddori yn yr awen ac ni
freuddwydiwyd erioed y buasai'n ennill cadair y Brifwyl
yng Nghaerfyrddin ac ymuno â dosbarth cyntaf ein
beirdd cyfoes. Mae llawer o'r diolch am hyn i gefndir
cyfoethog hen wlad Llŷn lle y dychwelodd i setlo
ynghanol y pethe:

> Tydi Lŷn nid du dy liw,
> Tyddyn y glêr wyt heddiw.

Daw ei golli â môr o atgofion. Lletyai'n fyfyriwr gyda'r
diweddar Bleddyn Jones Roberts nid nepell o'r coleg ym
Mangor Uchaf gyda Mrs Jacobs – lle bu Syr Thomas
Parry a lle bûm innau'n lletya. A does yna fawr neb na
dim ohonom ar ôl erbyn hyn – dim ond atgofion.

Ac ar lan Llyn Geirionydd yn Nyffryn Conwy ddydd
Sadwrn fe gofiwyd am fardd arall pan ddadorchuddiwyd
cofgolofn i Daliesin Ben Beirdd – yr ail gofgolofn, gan i'r
gyntaf ddadfeilio. Y cymeriad o fardd hwnnw oedd
Gwilym Cowlyd.

Ond i ddechrau'r stori yn y dechreuad. Yn yr hen, hen
ddyddiau mi ddaeth Ioan yr Apostol ar sgawt cyn belled
â Phrydain gan gyrraedd hyd at Ddyffryn Conwy. A chan
na fedrai freuddwydio am le brafiach mi benderfynodd

setlo yno gan godi iddo'i hun gell – tŷ cyngor y cyfnod, os leiciwch chi – mewn man a alwyd yn Geirionydd, sy'n golygu Gair Iôn ac yn gyfeiriad at agoriad yr Efengyl yn ôl Ioan.

Wedi setlo yn y Dyffryn cafodd Ioan weledigaeth, sef ei fod i briodi un o forynion y fro. Wedi iddo ddod o hyd i un dyna a wnaeth, ac o'r briodas honno fe aned mab a alwyd yn Taliesin. Hwnnw oedd y Taliesin Ben Beirdd yr ailgodwyd y golofn i gofio amdano ar lan Llyn Geirionydd brynhawn Sadwrn.

Mae'r stori yna'n wir bob gair – neu roedd hen fardd o Lanrwst wedi cael ei ddybryd gamarwain. Gwilym Cowlyd oedd y nodedig fardd hwnnw a olrheiniodd, medda fo – a phwy ydw i'w wrth-ddweud – ei achau yn ôl bob cam at y Taliesin yna.

I mi mae unrhyw un sy'n cadw mwnci yn berson arbennig tros ben. Ac mi fu Gwilym Cowlyd yn cadw mwnci – sy'n ei osod yn syth ar wahân i ni'r meidrolion. Yn wir, roedd y Gwilym yma, oedd yn nai i Ieuan Glan Geirionydd, yn un o wŷr mwyaf rhyfeddol a rhyfedd yr hen ganrif. Roedd yn fardd; yn llenor; yn gasglwr mawr ac yn argraffydd. Mae'r ychydig tros ddwsin o gyfrolau ddaeth o'i wasg yn Llanrwst yn cael eu dyfal gasglu ynghyd â gweddill gwaith argraffwyr yr hen dref – gan y bobol sy'n gwybod be ydi be.

Fel bardd yr hoffai Gwilym Cowlyd gael ei gofio. Ond nid oherwydd ei farddoniaeth, ar wahân i'w englyn i'r llynnau gwyrddion llonydd, yr erys y cof amdano ond oherwydd ei gyfraniad anarferol i'r byd barddol, gorseddol ac eisteddfodol. Ei enw arno'i hun oedd Prifardd Pendant am y credai mai ynddo ef – trwy ddwyfol ras, ac nid trwy archdderwyddiaeth Gorsedd Beirdd ei gyfnod – y cedwid hen draddodiad y beirdd yn ei burdeb a'i urddas.

O weld aflerwch Gorsedd Eisteddfod Genedlaethol y dydd a'i diffyg parch at yr hen fesurau a'i holl Seisnigrwydd yn arbennig, ynghyd â'i gred mai gausefydliad oedd yma, dyma Gwilym Cowlyd ynghyd â chyfeillion megis Trebor Mai – sef *I am Robert* wedi ei sillebu tu ôl ymlaen – yn atgyfodi'r hyn a alwent yn Gadair Gwynedd gan sefydlu eu Gorsedd Beirdd eu hunain ar lan Llyn Geirionydd lle bu Taliesin, hen berthynas Gwilym Cowlyd, yn prydyddu – Gorsedd Ogleddol oedd yn rhyw fath o ateb i un ddeheuol Iolo Morganwg.

'Arwest' oedd yr enw ar yr ŵyl flynyddol hon na ddaeth yn llwyr i ben hyd 1922 er bod Gwilym Cowlyd yn ei fedd er 1904. Yr enw a roddodd yr hyrwyddwyr cynnar ar yr ŵyl honno oedd 'pic-nic' – a chredwch neu beidio, bu'r picnica cynnar hwnnw yn tynnu mwy o gynulleidfaoedd na'r Eisteddfod Genedlaethol ei hun. Cynhaliwyd yr arwest neu'r pic-nic gorseddol tros dri diwrnod cyntaf Awst, 1863.

Erbyn ei ddyddiau olaf roedd Gwilym Cowlyd mewn cryn angen ac yn tueddu at fod braidd yn ddryslyd gan gredu ei fod hefyd yn ddisgynnydd i Elias y Proffwyd, a chan rybuddio'r bobloedd fod diwedd y byd gerllaw. Ddaeth y diwedd hwnnw ddim eto, ond beth bynnag a ddywedwch am yr arwestau a'r picniciau hyn, mae'n rhyfeddod y medrai'r hen fardd tlawd iawn hwn, mewn oes dlawd iawn, nid yn unig sefydlu a chynnal ei

Eisteddfod Genedlaethol ei hun i'w bobol ei hun yn ei fro ei hun ond hefyd fforddio at hynny i gadw mwnci.

BRYN TERFEL
28 Hydref 1994

I'r rhai a'm cyhudda o fod yn blwyfol mae'n rhaid i mi bledio'n euog – yn falch o euog – ac os oes gennyf fi fy Eifionydd roedd gan Cynan ei Lŷn, W. J. Gruffydd ei Fethel, Parry-Williams ei Ryd-ddu, a D. J. Williams ei Rydcymerau: ac onid brogarwch ydi sylfaen ein gwladgarwch ni? A gorchest a hawddgarwch llanc o Eifionydd ydi'r sbardun i hyn o lith heddiw.

Fe ymestyn hanes y fro rhwng môr a mynydd i niwl y chweched ganrif, wedi ei henwi ar ôl Eifion, ŵyr i Gunedda Wledig a ddaeth yma o'r Gogledd wedi ymgiliad y Rhufeiniaid gan sefydlu Tywysogaeth Gwynedd. Ceir un o'r cyfeiriadau cyntaf at Eifionydd yng Nghanu Llywarch Hen pryd y cwta grybwyllir garwdir y cwmwd lle syrthiodd Paen, mab Llywarch, oddi ar ei farch.

Fy unig gyfraniad innau i ysgolheictod Cymru ydyw i mi unwaith dynnu sylw Syr Ifor Williams at yr un cyfeiriad sy'n bod y tu allan i ganu Llywarch Hen at ei fab Llyngedwy – a bod Bryn Llyngedwy yn enw ar ffarm rhwng Pencaenewydd a'r Ffôr yn Eifionydd.

Ymestyn beirdd y fro o'r ddau gymydog Dafydd Nanmor a Rhys Goch Eryri hyd at fawrion yr hen ganrif – Robert ap Gwilym Ddu, Pedr Fardd, Eben Fardd,

Dewi Wyn, Siôn Wyn, Nicander hyd at Eifion Wyn, Carneddog a Cybi – tri a welais yn y cnawd.

Ond, meddech chwi, ble mae cerddorion Eifionydd? Wel, maen nhw'n bod ac i brofi hynny mae'r cymwynaswr dygn Geraint Jones, Trefor, wedi cyhoeddi hanes *Hen Gerddorion Efionydd*. A sawl enw sydd yna? Wel, cant a saith ar hugain!

Un enw o fawr bwys ydi un Ifan Wiliam Delynor, o Langybi. Ym mhedwar degau'r ddeunawfed ganrif, pan oedd Williams Pantycelyn yn dechrau cyhoeddi ei emynau ac yn ymbalfalu am ddonau ar eu cyfer, mi gyhoeddodd Ifan Wiliam, ynghyd â John Parry Ddall, y telynor o Lŷn, y gyfrol gyntaf erioed o gerddoriaeth Gymreig – *Antient British Music*, sef casgliad o geinciau telyn Cymru. Yna yng nghanol y ddeunawfed ganrif mi ddarparodd Ifan Wiliam ddeunaw tôn gynulleidfaol i'r *Llyfr Gweddi Gyffredin* ar gyfer *Salmau Cân* Edmwnd Prys. Roedd wyth ohonynt yn ddonau a gyfansoddodd Ifan Wiliam ei hun a'u trefnu ar gyfer tri llais. Y rhain oedd y tonau Cymreig cyntaf erioed i ymddangos ar ddu a gwyn.

Telynor arall o'r un cyfnod oedd David Owen – y chwedlonol Ddafydd y Garreg Wen. Ac ymysg cyfansoddwyr y ganrif o'r blaen cewch rai fel John Henry o Borthmadog â 'Gwlad y Delyn'; Ap Glaslyn o Feddgelert gyda'i 'Pa le mae'r Amen?'; Llew Madog yn ddiweddarach a'i dôn 'Tyddyn Llwyn'; ac roedd John Jones o Lanystumdwy – tad Taliesin o Eifion – yn aelod o'r band ar long Nelson, y *Victory*, ym mrwydr Trafalgar, a bu'r cerddor a'r llysieuwr John Lloyd Williams yn ysgolfeistr am flynyddoedd yng Ngarndolbenmaen.

Ond o'r holl gantorion ni chafwyd hafal i feistr y cyfan oll – Bryn Terfel. Does gen i ddim digon o eiriau i briodol ganmol ei degwch a'i hawddgarwch, ei bersonoliaeth werinol a'i ymlyniad wrth ei fro, a'i wlad a'i iaith – y cyfan yn ei osod yn rhes flaen oriel yr anfarwolion a lonnodd galon Cymru o ddyddiau Edith Wynne hyd fawredd Geraint Evans. Ac nid ar chwarae bach mae gwneud yr hyn a wnaeth ef y dyddiau hyn, sef llorio'r Americanwyr gyda'i lais a'i ddawn yn y *Met* – tŷ opera mawr Efrog Newydd. Nid ar chwarae bach y cewch chwi le ar ddalen flaen y *New York Times*, lle y gwelodd yr Americanwyr mai Cymraeg oedd ei iaith; mai Cymru oedd ei wlad ac mai Eifionydd oedd ei fro, yr hyn a ysbrydolodd y papur i drosi enw ei bentref, Pant-glas, i'r annhebygol Americaneg – *Blue Gorge*! Hwn ydi Tywysog Gwlad y Gân.

Rhag i mi lwyr ddiystyru caniadau cras, afrywiog, hen y byd, a chan i mi luchio cynifer o enwau Eifionydd atoch, pwy neu beth fuasech chwi'n ddweud piau'r enwau hyn? Gwrandewch. Geoffrey Drake, Roy Luff, Valerie Muld, Vincent O'Connor, Brenda Irving. Dyw'r enwau ddim yn swnio fel aelodau o Fwrdd Gorsedd y Beirdd yn nag ydynt? Pwy ydyn nhw? Wel, y nhw sy'n rhedeg Cwango Ymddiriedolaeth Ysbytai Gwynedd – yr Wynedd y mae Eifionydd a Bryn Terfel yn rhan ohoni. Oes angen dweud rhagor?

Y DDINAS DDU
25 Tachwedd 1994

Dros y Sul, gyda chwpwl o hen gyfeillion, Merêd a Phyllis Evans, mi ymwelais â Dulyn. Erstalwm, mi fûm yn bur gyfarwydd ag Iwerddon ond aeth blynyddoedd heibio er pan fûm yno ddiwethaf. Peth newid – y golofn enfawr i goffáu Nelson wedi hen ddiflannu o'i safle arglwyddiaethol ar y brif heol am nad ydi'r Gwyddelod am gael eu hatgoffa o gwbl o faint y dioddefaint a achosodd y Saeson iddynt. Bellach does neb ar ôl ond Charles Stuart Parnell, y Protestant a ymladdodd tros ryddid gwleidyddol y wlad, a cholofn Daniel O'Connell a ymladdodd cyn hynny am ei rhyddid crefyddol – un ym mhob pen i'r stryd i'n damhegol atgoffa y medr pob Gwyddel o bob sect wynebu ei gilydd yn heddychlon.

Os ydi gafael crefydd ar Iwerddon yn llacio – dim ond llacio ac nid diflannu y mae. Erys tros naw o bob deg yn y Weriniaeth yn Gatholigion, ac wyth o bob deg yn mynychu'r eglwys ar y Sul. Ac os mai merch a fu'n gyfrifol am ddymchwel Parnell gynt, wele'n awr Bertie Aherne, sydd wedi gadael ei wraig a mynd i fyw gyda menyw arall, yn medru cystadlu am brifweinidogaeth y wlad yn ddirwystr, ddiragfarn. Ar y llaw arall, yr ymwybyddiaeth ar gynnydd nad ydi pob un o'r offeiriad Pabyddol mor ddilychwin ag y dylasent fod.

Mae'r freuddwyd fawr – Iwerddon unedig – yn aros ar y gorwel pell, a hyd yn oed os ydi dydd yr IRA ar ben, does dim i rwystro i fudiad newydd godi; does dim prinder arfau cuddiedig – y mae'n oferedd galw am i'r cyfan gael ei ildio am na ŵyr neb faint ydi'r cyfan – a does dim sefydlogrwydd gwleidyddol chwaith yn y

73

Weriniaeth ei hun. Dyna'r tâl mae'n rhaid ei dalu am drefn y bleidlais gyfrannol, sy'n arwynebol decach, ond yn ymarferol rwystr i sefydlu llywodraeth barhaol gref.

Pan ddychwelais i Gymru o'r Ddu-lyn, y newydd a'm llygad-dynnodd oedd bod hen deulu'r Ddinas Ddu wedi gadael eu ffarm yn Aberglaslyn, yn eu hewyllys, i Urdd Gobaith Cymru. Mae rhan o'r tir yn ymestyn at loywddwr Glaslyn a'r gweddill yn ffriddoedd. Minnau'n cofio am y teulu o bedwar yn y Ddinas Ddu, cyn i henaint a gwaeledd eu gorfodi i adael tir – ac i dri ohonynt bellach adael daear hefyd, a neb ar ôl erbyn hyn ond Dafydd Parry yn Hafod-y-gest, cartre'r henoed ym Mhorthmadog. Y Parry hwn oedd cyfenw fy nain: dyma ei henfro, a'i theulu hi ydi teulu'r Ddinas Ddu a drosglwyddodd y cyfan i'r Urdd, sy'n werth chwarter miliwn, meddan nhw.

Roeddwn yn flin iawn o weld golygyddol yn y *Western Mail* yn feirniadol o'r amod y dylesid gosod y ffarm i deulu o Gymry Cymraeg. Gallai hyn fod yn hiliol, meddai Golygydd y papur sydd yn haeru bod yn genedlaethol Gymreig – y gŵr di-Gymraeg, di-Gymreig, digefndir a ddaeth i'r swydd yng Nghaerdydd o berfeddion Lloegr heb brotest. Nid dyma'r ffordd orau i helpu'r Gymraeg medda fo. Gyfaill, mae'n un ffordd.

Pe gwyddai'r *Western Mail* am gefndir hanesyddol Cymru fe ddeëllid fod bro fynyddig Beddgelert wedi parhau yn grud i'r diwylliant Cymraeg am ganrifoedd, ac am ei bod mor neilltuedig gynt, wedi cadw o afael landlordiaid o Loegr yn hwy nag unman yng Ngwynedd.

Pe medrai Golygydd y *Western Mail* ddarllen Cymraeg fe fedrai astudio cyfrol Carneddog – *Cerddi Eryri* – lle mae gweithiau ugeiniau o feirdd y fro. Nid o gasineb at Saeson ond o gariad at Gymru y lluniwyd yr ewyllys i helpu i ofalu am barhad cenedl ac iaith a chymdeithas, ac mae angen hynny yn Eryri lle daeth yr ymfudwyr i fygwth y cyfan. Ac os ydych am weld beth fedr ymfudwyr ei wneud – ewch chwithau am dro i Iwerddon.

Heibio i dalcen ffermdy'r Ddinas Ddu mae'r ffordd ddyrys tuag uchelder Oerddwr, hen gartre'r chwedlonol Wil, oedd a'i deulu'n perthyn i Syr Thomas Parry-Williams – a ystyriai'r Oerddwr yn borth y nefoedd. Yn rhyfedd iawn, gyda Meredydd Evans y bûm am y tro cyntaf, a'r olaf, yn Oerddwr hefyd, a Daniel a Dafydd o'r Ddinas Ddu – a'r ddau tros eu pedwar ugain oed – aeth â ni yno mewn *Landrover*. Gydag Oerddwr a'r Ddinas Ddu am y terfyn â'i gilydd bu'r teuluoedd yn hen ffrindiau, ac un o gerddi gorau Wil Oerddwr yw'r un sy'n cofáu un o'i hen gymdogion. Mae'n gorffen efo'r pennill:

> Aeth ymaith heb betruso,
> A'i wyneb tua'r wawr,
> Ar bwys ei ffydd a'i grefydd
> Heb weld y Ceunant Mawr,
> A thros y ffin tu hwnt i'r llen
> O'r Ddinas Ddu i'r Ddinas Wen.

L. G.
31 Mawrth 1995

David Lloyd George. Mi gafodd bob math o enwau yn ei ddydd, ond i Gymru, y dewin oedd o. Fe'i clywais yn annerch ar ddyddiau Iau y Brifwyl; yn ei morio hi yn hen bafiliwn Caernarfon; a phan oeddwn i'n fyfyriwr mi ges de a jam cwsberis cartre efo Dame Margaret ac yntau ym Mrynawelon, Cricieth. Ac roeddwn i'r newydd-iadurwr olaf i'w weld yn fyw. Mynd efo A. J. Sylvester, ei hen ysgrifennydd, i'w weld ger ffenast fawr ei ystafell uchel yn Nhŷ Newydd, Llanystumdwy, yn rhy hen a gwael i sgwrsio, ond mi drodd tuag ataf ac fe gododd ei law a'i chwifio tua'r môr, gan ddweud dim ond dau air damhegol, sef 'Cantre'r Gwaelod'.

I gofio ei golli hanner canrif yn ôl – a phrin yr iawn gofiwyd hynny – rydw i am adrodd hanes ei angladd ar Wener y Groglith mewn gwanwyn anghyffredin o gynnar. Roeddwn i yno'n lasohebydd. Roeddwn i eisoes wedi crynhoi stori ei fywyd a'i anhygoel gyfraniadau yn *Y Cymro* dan y pennawd 'O Lanystumdwy i Lanystumdwy', ac mewn llythyr a gefais yn ddiwedd-arach gan yr Iarlles, ei weddw, roedd hi am roi'r geiriau yna ar y garreg fedd pe cytunai'r teulu. Wnaethon nhw ddim. Ac fel hyn y cofnodais y diwrnod mawr diangof,

'Yn ei wlad ei hun, yn ei bentre ei hun y rhoddwyd David Lloyd George, Iarll cyntaf Dwyfor, yn y gro. Yn ei iaith ei hun roedd y gwasanaeth, ei werin ei hun ddaeth yno i dalu'r gymwynas olaf iddo ef a dalodd y fath gymwynas iddyn nhw. Darfu'r dewin fel y dechreuodd – yn Llanystumdwy. A doedd y mawrion o Lundain ddim yno, ond yr oedd y Cymry – wrth eu miloedd. Pum mil, meddai'r gwyliadwrus; deng mil meddai'r anturus. Daethant yn eofn yn eu moduron er y dogni ar betrol, ar y trenau gorlawn, ar gannoedd o feiciau ac ar draed o Bwllheli ac o Lŷn. Parhâi'r dewin yn gryfach yn ei arch nag yw'r un o'i gydwladwyr yn ei fywyd.

'Dydd Gwener y Groglith oedd hi. Y clychau'n gwahodd tua'r llannau i gofio'r fuddugoliaeth ar angau a'r bedd, y drain gwynion yn gynamserol yn eu dail a'r drain duon yn eu blodau a'r dŵr yn gloywi yn Afon Dwyfor. Amser i fywyd – ac i anfarwoldeb.

'O amgylch y bedd mae'r deri a'r ffawydd a'r llwyfain; a rhwng coed y llwyfain yma yr hunai'r llanc a chwaraeai ar y llwybr bach y torrwyd y bedd yn ei ganol uwchlaw'r afon.

'Tyrfa o hogiau'r pentre wedi dringo i ben y coed a rhan enfawr o'r dorf ar y gwastad yr ochr arall i Afon Dwyfor yn edrych at i fyny – er bod y cae y safent arno newydd ei aredig. Dyma un o gynhebryngau mwyaf lliwgar Cymru. Yn eu dillad hafaidd o goch a gwyrdd a glas a melyn edrychai'r tyrroedd pobloedd o hirbell fel gwelyau mawr o flodau, ac yma ac acw gwisgoedd y fyddin a'r llynges a'r llu awyr. Ynghyd, o'r neilltu, ar gwr y cae ar gwysi'r aradr – twr bychan o garcharorion rhyfel yr Eidal yn eu brown yn sefyll yn unionsyth *at attention*. Dau yn unig o'r miloedd ddaeth yno mewn het silc.

'Yna, fe syrthiodd tawelwch mawr. Roedd L.G. yn dod. Tynnid y wagen gan Dan, hen geffyl tawel o orsaf Cricieth y gwyddai'r hen wladweinydd yn dda amdano. Roedd y blodau'n dryfrith o amgylch yr arch a blodeudorch fawr yr Iarlles ar ffurf croes las a'r lilïau a'r rhos yn gwrido arni ar ben y cyfan.

'Cerddai pedwar o wyrion yr Iarll â gwisgoedd y lluoedd amdanynt ger y wagen – Is-Iarll Gwynedd (o'r Gwarchodlu Cymreig), Lefftenant David Lloyd George (*Royal Artillery*), *Flying Officer* Robin Carey Evans a'r *Midshipman* D. L. Carey Evans. Arweiniwyd y prif alarwyr gan yr Iarlles, a gerddai ym mraich Major Gwilym Lloyd George, a dilynai Lady Megan Lloyd George gyda Lady Olwen Carey Evans a Mr William George, y ffyddlon frawd.

'Fel y cyrhaeddai'r arch gwr y coed a chwech o weithwyr Tŷ Newydd yn paratoi i gario'r meistr weddill y daith, dyma'r dorf yn dechrau canu geiriau na roddwyd mohonynt ar y rhaglen:

O Fryniau Caersalem ceir gweled
Holl daith yr anialwch i gyd...

'Fel y nofiai'r geiriau tros yr afon i'r ochr draw cododd y rhai oedd yno eu lleisiau hwythau mewn cytgord, ac yn sŵn y gân y cariwyd y gŵr i'w fedd, a'r hen emyn yn cael ei ddyblu a'i dreblu.

'Nid tros Afon Dwyfor yr edrychai'r dorf mwyach ond tros afon ddyfnach, dduach na hon.'

Y FILFED SGWRS
2 Mawrth 1996

Pe bai gan y sgyrsiau hyn dafod mi fuasent yn bownd o ddweud wrthych heddiw mai dyma'r filfed sgwrs – didor ar wahân i un wythnos oherwydd y Nadolig, er nos Wener gyntaf 1977. Ond gan nad oes ganddyn nhw dafod, gobeithio y maddeuwch i mi, heddiw, am adrodd eu hanes a diolch i chwi am eu gwrando.

Y flwyddyn wedi'r haf crasboeth hwnnw oedd hi – a minnau newydd feddwl fy mod wedi riteirio – pan ofynnodd Meirion Edwards a fuaswn yn rhoi sgwrs radio fer, wythnosol, i drafod materion cyfoes yn fy ffordd fy hun. 'Am ba hyd?' meddwn i.

'Am byth,' medda fo.

Ond, na phoenwch, ddaw hi ddim i hynny. Felly, pum munud cyn chwech ar nos Wener ac ailadrodd hynny, ynghyd â chyfweliad, am ddeng munud i naw ar foreau Sadwrn, fu hi am gryn sbelan. Yna, cael gwared â'r cyfweliad a newid yr ailadrodd i bum munud ar hugain wedi saith ar fore Sadwrn cyn symud yn ddiweddarach i bum munud i wyth – lle maen nhw o hyd. Ond yr ailadrodd bellach am bum munud ar hugain wedi wyth ar nos Sul. A fu unrhyw newid er gwell sydd fater arall.

Mae'r sgyrsiau cyntaf i gyd ar goll ond diogelwyd y gweddill: ac wedi hen berswadio gan Guto Roberts y cytunais i gyhoeddi detholiad ohonynt. Roeddwn yn amharod am mai newyddiaduraeth ar gyfer eu dydd ac nid ar gyfer tragwyddoldeb oeddan nhw, a llawer ohonynt yn ddiystyr wedi eu tynnu o'u cefndir. Mae'r pumed casgliad ar y gweill erbyn hyn. Doedd dim problem gosod teitl ar y gyfrol gyntaf – sef *Dros fy Sbectol*.

Dim problem fawr efo'r ail – *O Wythnos i Wythnos*. Nid mor hawdd wedyn, a setlo ar *Nos Wener, Bore Sadwrn*, gan roi *Pum Munud i Chwech* – *ac i Wyth* ar y bedwaredd gyfrol. Teitl syml y gyfrol nesaf – diolch i Guto – fydd *Mil a Mwy*, ac ef a Marian yn dal i ofalu am holl drafferthion y cyhoeddi – bendith ar eu pennau.

Bu nifer o gynhyrchwyr yn gofalu am y rhaglen ym Mangor, a'r cyntaf, Wyre Thomas, a osododd *Dros fy Sbectol* yn deitl. Gyda llaw, dim ond i ddarllen ac ati y byddaf yn gwisgo sbectol. Dilynwyd Wyre gan Gwyn Llewelyn, hen gydweithiwr yn nydd Teledu Cymru; ac yn ddiweddar Glyn Thomas ydi'r cynhyrchydd clên – a'm diolch yn fawr iawn i bob un ohonynt.

Darlledwyd rhai o'r sgyrsiau o fannau cyn belled oddi wrth ei gilydd â Truro a Toronto, ac am ddeg wythnos – pan dorrais fy ffêr – o gartre'r teulu yng Nghaerdydd, ac mewn llawysgrifen mae pob un o'r sgyrsiau er y cychwyn cyntaf.

Buasai'n rhaid i mi fod yn fwy o sant na Dewi pe na bawn, yn ystod y mil o ddarl(l)ediadau, wedi gwneud rhai camgymeriadau, ond wnes i ddim cam bwriadol â neb – os caf feiddio defnyddio geiriau Gweinidogion y Goron. A phan wnes gamddeall mi gywirais am fy mod yn ymwybodol o faint fy mraint.

O edrych yn ôl heibio i bedwar ugain pwdin 'Dolig, pedair wyres fach, a thros ugain mlynedd chwyldroadol i bawb, mi gefais brofiad o ddeunaw mlynedd o Doriaeth; o ddiwygiad electronig; o ddau ryfel; o ddadgenedlaetholi; o ddegymol drefn; o ddinasyddiaeth Ewropeaidd; o ddadfeilio'r Wladwriaeth Les; o ddifrodi'r ysgolion; o ddatgymalu'r ysbytai; o ddiffeithio cefn gwlad; o ddilyw o fewnlifiad; o ddymchwel yr eglwysi; o ddyrchafu'r tafarndai; o ddychweliad y bomiau Gwyddelig; o Ddeddf Iaith; o ddefnyddio geiriau fel 'dominyddu'; o ddatblygu ysgolion Cymraeg a phapurau bro, ac o ddatganoli ar y gorwel. A chip ar yr hanes ynghadw yn y sgyrsiau i rywrai a ddaw.

Os holwch beth wnes i yn y chwyldro, mi roddaf ateb hen abad yn Ffrainc pan holwyd hwnnw beth wnaeth o yn y Chwyldro mawr, ac a orfodwyd i ateb – 'Goroesi.'
Ond pan fyddaf i'n mynd mi fydd yna bennod o hanes yr hen Gymru Gymraeg yn mynd efo mi – na chlywodd Saesneg ac na welodd Sais yn nyddiau ei blentyndod gwladaidd yn Eifionydd.

Y DDWY IAITH
21 Mehefin 1997

Un o'r pynciau dyrys sydd wedi codi'i ben, ac y buasai'n anghyfrifol i mi ei osgoi, ydi pryder llu o'm cydnabod sylweddol ynglŷn â'r cynnydd diweddar yn y Saesneg yn y rhaglenni newyddion, ac ambell raglen arall, ar y radio a'r teledu Cymraeg – prif gyfryngau'r iaith. Mae'n bwnc a allasai droi'n un llosgawl na fedrir ei osgoi ddydd a ddaw, ac mi ddeuda i pam cyn tewi.

Am i mi fyw efo, ac ar y newyddion, ddyddiau f'oes – ac mae 'na lot ohonyn nhw – mae gen i brofiad personol maith o hanes paratoi a chyflwyno'r newyddion ar gyfer y Cymry Cymraeg yn y wasg a'r radio a'r teledu. Roeddwn i a'r hen ffrind T. Glynne Davies yn gyfrifol am newyddion Cymru yn Gymraeg ac yn Saesneg i Deledu Cymru yn y dyddiau cynnar cyn symud i helpu cynhyrchu'r rhaglen deledu nosawl 'Heddiw' i'r BBC am flynyddoedd. Heb anghofio fy mlynyddoedd ym Mangor a'r radio, a boreol godi wedyn i adolygu gwasg Lloegr yn ddi-Saesneg.

Yn wir, trwy'r blynyddoedd roedd pob gair ym mhob rhaglen Gymraeg yn Gymraeg nid am fod yna reol ond am na freuddwydiai neb y dylasent fod yn amgenach. Dim mwy o ysfa rhoi Saesneg mewn rhaglen Gymraeg nag oedd yna, ac y sydd yna, o roi Cymraeg mewn rhaglen Saesneg, sy'n tanseilio'r chwedl ein bod ni'n genedl ddwyieithog am mai'r Cymry Cymraeg yn unig sy'n ddwyieithog. A phe digwyddid defnyddio'r ddadl fod y Cymry Cymraeg yn medru Saesneg gellid yn rhesymegol ei defnyddio i beidio cynhyrchu rhaglenni Cymraeg o gwbl. A dim ond wedi hir ymgyrchu y llwyddwyd i sicrhau'r rhaglenni yma, am fod eu hangen. P'run bynnag does yna'r un cynhyrchiad dwyieithog wedi ffynnu yng Nghymru.

Pan ddaeth datblygiadau technegol, a phan lwyddwyd i gyflwyno'r Senedd a'r byd yn Gymraeg, yn newyddion y radio yr oedd yna Gymry fel fi yn ei chael hi'n anodd ei dderbyn gan mai yn Saesneg roedden ni wedi arfer ei glywed ac wedi'n cyflyru i gredu mai'r fersiwn Saesneg oedd yr un swyddogol ddibynadwy. Mi gymrodd amser, ond mi fedrwyd ein hargyhoeddi bod y Gymraeg yr un mor ddilys. Erbyn heddiw mae'r Cymry Cymraeg yn medru dibynnu'n gyfan gwbl, os mai dyna'r dewis, ar y newyddion am Gymru a'r byd yn yr hen iaith, ac nid yn unig mae'r gwasanaeth yn un clodwiw ond mae wedi cynhyrchu cenhedlaeth newydd o newyddiadurwyr Cymraeg na welwyd eu tebyg, a gwasanaeth sy'n gwyrthiol ddarganfod y Gymraeg ym mhellafoedd daear.

Ond, gyda'r teledu yn arbennig, mae'r technegau newydd wedi esgor ar bosibiliadau newydd. Nid yn unig fe fedrwch glywed beth ddywedwyd ond medrwch weld hefyd. A dyma lle mae'r broblem yn codi. A ddylech chi dderbyn Blair neu Clinton yn llefaru'n uniongyrchol am fod y Cymry Cymraeg yn medru eu deall, ynteu a ddylech chi wneud beth wna'r BBC yn Llundain efo Chirac neu Kohl trwy roi mymryn o'r gwreiddiol cyn trosleisio o'r Ffrangeg neu'r Almaeneg. Nid yn unig mae hyn yn synnwyr cyffredin ond mae hefyd yn rhan o falchder ac urddas cenedlaethol ac ieithyddol Lloegr.

Y duedd yn newyddion presennol S4C yn arbennig,

sydd ddim heb ei fawr rinweddau, ydi gadael i'r gwleid-yddion a'r swyddogion a'r mawrion ac ati sy'n siarad Saesneg wneud hynny. Er, mewn o leiaf naw deg y cant o'r enghreifftiau, bod pob gair wedi ei glywed eisoes gan bob clust wrandawgar ar y llu o sianelau Saesneg. Yr effaith ydi creu'r argraff mai Saesneg ac nid Cymraeg ydi'r iaith sy'n cyfri ac yn haeddu parch. Mae'n wir y golygai trosleisio fwy o waith – ond mae yna fwy o ddwylo nag a fu a dyna mae pob gwlad arall, ar wahân i Gymru hyd y gwn i, yn ei wneud.

A dyna hyn oll yn dod â mi at yr hyn ddywedais i wrth gychwyn, sef bod yna reswm arbennig dros drafod y pwnc, sef y posibilrwydd y gwelir Cynulliad i Gymru yng Nghaerdydd ddydd a ddaw. Fe fydd llu o'i aelodau yn ddi-Gymraeg. Fe fydd y gyfran helaethaf o'i drafod-aethau yn bownd o fod yn Saesneg ac fe fydd ei weith-gareddau yn mynd â gofod cyfran helaeth o newyddion y radio a'r teledu. Ac mi fydd yn rhaid penderfynu ai rhywfaint, llawer ynteu dim o'r Saesneg sydd i fynd yn amrwd i'n cartrefi, sy'n golygu nad ydi hi'n rhy fuan i drafod y polisi a chael gwylwyr, gwrandawyr a chyn-hyrchwyr yn gytûn. Achos mae'n fater, yn ôl pob golwg, y clywir llawer mwy yn ei gylch. Ac os am batrwm o'r hyn y medrid ei wneud yn llwyddiannus – rhaglenni diweddar Beti George o Hong Kong amdani. Deg allan o ddeg am y rheiny.

Y NOSON FAWR
20 Medi 1997

Mi fuaswn i'n hapus pe cawswn i yn y sgwrs yma wneud dim ond gweiddi un gair a thawelu. Y gair HALELIWIA. Oherwydd rydw i wedi cael y fraint o gael byw yn ddigon hir i wrando ar y ddrama wleidyddol fwyaf syfrdanol a fu ar lwyfan Cymru – fuasai'r Duwiau ddim wedi medru'i threfnu'n effeithiolach. Drama cyhoeddi canlyniadau'r refferendwm – a'r canlyniad terfynol yn un o'r rhai mwyaf hanesyddol yn hanes Cymru – y pwysicaf un, medrid dadlau.

Rhaid i mi gydnabod mai pryderus ac nid hyderus oeddwn i. A phan ddaeth canlyniad Wrecsam ar Radio Cymru a'r ddau a'i dilynodd, roedd y golau coch yn disgleirio. Gorfod f'atgoffa fy hun o'r hyn a welais yn digwydd ddeunaw mlynedd yn ôl pan gafwyd pedair pleidlais yn erbyn datganoli am bob un o blaid. Ac ar dro hanner nos fore Gwener, ar y naill law digalondid o glywed 'NA' yn dod o'r tair etholaeth gyntaf a chalondid o weld y cynnydd sylweddol yn y bleidlais tros y Cynulliad. A'r digalondid yn dychwelyd o synhwyro nad oedd y cau ar y bwlch yn ddigonol yn yr un o'r tri chanlyniad.

Ac i fyny ac i lawr y bu'r galon nes cyrraedd y canlyniad olaf un. Blaenau Gwent Llew Smith gyda'i 'IE' ysgytwol wedi codi 'nghalon. Ac yn wir codi'r galon wnaeth canlyniadau pob un o etholaethau'r Aelodau Seneddol Llafur a wrthryfelodd yn erbyn cefnogaeth swyddogol eu plaid. Alan Rogers yn cael cic yn ei din yn y Rhondda, lle bu'r ddwy wraig Lafurol yn arwain eu hymgyrch egsentric tros 'NA', a'r un dynged i Ray Powell yn Ogwr ac, yn annisgwyl i mi, i Alan Williams yn Abertawe. Abertawe o bobman yn cefnogi Senedd yng Nghaerdydd, ond pobl Caerdydd yn ei gwrthod.

Ac ar gyrion y Rhondda, yr hen dref radicalaidd Merthyr Tudful hefyd yn arddel ei gwreiddiau Cymreig gydag 'IE'. Mi fuasai S. O. Davies, yr oeddwn yn ei adnabod yn dda, yn gorfoleddu ac yn ein hatgoffa iddo fo ddod â'i fesur ei hun tros Senedd i Gymru i sylw Senedd Westminster. Ni ddisgwylid i Gasnewydd ddeud 'IE', er i'r bleidlais o blaid gynyddu, ond yn dilyn cefnogaeth sylweddol y Rhondda ac un dda Ogwr, dyma hwb enfawr i'r galon gan ganlyniad Castell-nedd/Port Talbot, etifeddiaeth Peter Hain a weithiodd fel llew ond nid fel Llew Smith. Ac os oedd 'IE' Caerffili'r egnïol Ron Davies yn weddol, roedd o'n ddigon.

Ond gyda dim ond dau ganlyniad ar ôl roedd y 'NA' dros ddeng mil ar hugain o bleidleisiau ar y blaen i'r 'IE' a'r rhagolwg yn ddu bitsh. Ac os oedd yna fannau golau roedd Gogledd Cymru gyfan wedi dweud 'NA' ar wahân i Ynys Môn a ddywedodd 'IE' gyda'r mwyafrif cwta o 554 pleidlais. Canlyniad oedd yn codi cwestiwn y medrid ei gyffredinol godi – sef, gyda phob plaid yn uno yn erbyn y Torïaid, gyda Môn yn yr Etholiad Cyffredinol wedi cael mwyafrif i Blaid Cymru a phleidlais gref i Lafur, pam roedd y mwyafrif mor fach? Yr ateb ym Môn oedd agwedd mewnfudwyr, ond hefyd ynghyd â diffyg y rhai a bleidleisiodd tros Lafur yn yr Etholiad i fwrw pleidlais 'IE' y tro hwn.

Oddeutu hanner awr wedi tri fore Gwener wele Wynedd yn llefaru gyda mwyafrif mor sylweddol tros 'IE' nes dod â llygedyn o obaith – ond un bach iawn. Ac wele uchafbwynt hanesyddol y noson. Roedd angen mwyafrif anhygoel o fawr o Shir Gâr, yr olaf un, os oedd yna obaith am gario'r dydd. Ac yn syfrdanol fe'i cafwyd – a digon dros ben i roi tua chwe mil o fwyafrif tros i Gymru gael y corff gwleidyddol cyntaf yn ei hanes i ofalu am y genedl gyfan o Wynedd i Went. Corff y bydd Cymru'n democrataidd benderfynu ar union natur ei awdurdod ddyddiau pell a ddaw. Sylfaen y dyfodol. Haleliwia!

Ar y dechrau, mi ddywedais mai pryderus ac nid hyderus oeddwn i. Roedd y bwganod a'r rhagfarnau ar waith. A'r hunllef y tu ôl i fy meddwl oedd beth allasai ddigwydd pe methai Cymru ag uno i ddweud 'IE' y tro yma. Yr Alban wedi llefaru ac mi fuasai yna refferendwm tros rywfaint o hunanlywodraeth i Lundain fis Mai nesaf – a'r ymateb fuasai 'IE'. Ped ailetholiad Llafur buasai rhanbarthau Lloegr yn cael dweud 'IE' – ac mi fuasai problem Gogledd Iwerddon wedi ei setlo rywfodd. Gallasai hyn oll olygu mai Cymru'n unig a reolid yn gyfan gwbl gan Westminster. A dyna beth ydi hunllef.

YR ERGYD
14 Mawrth 1998

Fu cynnal hon na'r sgwrs o'i blaen, rhyngom ni a'n gilydd, ddim yn hawdd, ond mi ddof at hynny.

Rhyw wythnos o ddisgwyl fu hi yn hytrach nag un o newyddion mawr. Yma yng Nghymru y disgwyl mawr fu, a'r holi mawr, ble yn union y cartrefai'r Cynulliad, ac o'r diwedd dyna ni'n gwybod – yng Nghaerdydd, y brifddinas, y bydd, er na wyddom yn union ymhle ond bod cartref newydd sbon i'w godi. Ond mae'r gystadleuaeth iachusol amdano trosodd ac yn awr ymlaen â'r gwaith o roddi mwy a gwell rheolaeth i Gymru drosti ei hun.

Yn Iwerddon y disgwyl mawr fu am gynllun – bron na ddywedais am dric – a ddeuai â threfn a heddwch parhaol i'r Ynys, ond gan mai yn y bôn brwydr rhwng y rheini sydd am un Iwerddon a'r rhelyw sydd am ddwy sydd yma, peidier â disgwyl gormod, er bod llywodraeth Iwerddon Weriniaethol yn ystyried tynnu o gyfansoddiad y wlad y cymal lle yr hawlir awdurdod dros Iwerddon gyfan, sydd yn ystyriaeth sylfaenol fawr. Ond mae gan y Gwyddelod eu sefydliadau mwy milwriaethus fydd ddim yn ymateb yn ffafriol i hynny chwaith.

Ond i droi at rywbeth arall a'm poenodd i. Roeddwn i'n dychwelyd yn ddigon penisel o Gaerdydd i Wynedd yn ystod yr wythnos. Cyn cyrraedd Llanfair-ym-Muallt beth welais i ond rhybudd dwyieithog fod yna waith atgyfnerthu ar wal ar ochr y ffordd ymhellach ymlaen. Y gair *cryfhau* ar y rhybudd wedi ei sillebu *cryfhay* – ie, *y*. Yn nes ymlaen, ar gyrion Pontnewydd-ar-Wy (ac ym mha iaith arall y clywsoch chi enw fel'na?) roedd rhybudd dwyieithog arall na fedrais weld mwy na darn o'i Gymraeg. Ceisio dweud roedd o i bwy roedd y flaenoriaeth lle'r oedd y lôn yn culhau. Gair cyntaf y rhybudd yn rhoi *drod* am *dros*. Roedd hi'n beryglus i stopio i gofnodi'r gweddill. Yna ymhen ychydig filltiroedd, wir yr, wele'r trydydd anfadwaith. Mi stopiais i gopïo hwn. Meddai, yn ei Saesneg perffaith: *Joining traffic under signal control*. Yn y Gymraeg honedig: 'Traffig yn *ymynu yw'n* cael ei reoli gan oleuadau'. Rhybudd i'ch diogelu sy'n gwneud dim ond eich peryglu. A dyma finnau yn fy ôl at hen ddweud, sef mai dinistr ar ewyllys da ac iaith yw gosod rhybuddion cyhoeddus cyn gofalu am eu cywirdeb. Beth mae'r Bwrdd Iaith am ei wneud?

Dros y maith flynyddoedd mi goffeais yn y fan hyn ugeiniau lawer o'n colledion mawr a mân, ac wele fy nhro innau wedi dod i orfod diweddu yn boenus o bersonol. Mi gollais fy niddig, unig eneth. Roedd hi'n flwyddyn pan ddaeth yr ofnadwy ryfel byd i ben ac yn ddyddiau pan etholwyd llywodraeth Lafur fawr Attlee pan aned hi a phan enwyd hi'n Ffion, sy'n enw cyffredin bellach, a allasai gyrraedd 10 Stryd Downing gyda'r ail Gymraes i gyrraedd. Ond dros ddeuddeg a deugain mlynedd yn ôl nid oeddwn i'n gwybod am yr un enaid byw o Ffion arall. Ac rydych chwi wedi fy nghlywed i hyd syrffed rhwng difrif a chwarae yn cyfeirio at amlder y ffigur tri yn ein byw a'n bod. Ffarweliodd Ffion â ni i gyd ar y drydedd awr o'r trydydd dydd o'r wythnos ar y trydydd mis o'r flwyddyn. Mynd yn ysglyfaeth i'r gelyn mawr canser a gipiodd ei mam a gormod o gydnabod pawb.

Bu'n dioddef o'r clefyd am dair blynedd gan lwyddo i guddio'r cyfan rhag y ddwy ferch (fy nwy wyres) a minnau, rhag i ni ymboeni. Fe'i celodd cystal fel na wyddwn i amdano hyd ddau ddiwrnod cyn y golled. Roedd yn benderfynol o fyw bywyd normal digwyno a pharhaodd yn athrawes Ffrangeg ac Eidaleg yn ei hysgol yng Nghaergaint tan y Nadolig. Mor ddiweddar â Mawrth Ynyd roedd yn y gegin yn gwneud crempog i'r teulu. Daeth y diwedd gyda sydynrwydd ysgytwol.

Y cyfan fedraf i ei wneud ydi diolch i chwi a lifeiriodd eich cydymdeimlad ataf i a'r teulu bach. Dyna gyfran o'r cysur. A'r gyfran arall oedd maint cefnogaeth cymdogion Caergaint i'r teulu trallodus. Yn y cartref y nos cyn yr angladd roedd ffotograffydd o Milan na fedrai siarad dim ond Eidaleg – fo a'i wraig; gwraig o Valencia gyda'i Sbaeneg yn unig; athrawes o Reims; myfyrwraig o Tokyo; a'r dyrfa ddaeth i'r angladd yn dangos y parch oedd iddi hi, ac yn help i mi i adfer fy ffydd ym meidrolion y ddynoliaeth sydd, wedi'r cyfan, yn medru meddwl am rywbeth heblaw hwy eu hunain.

Dros yr wythnos a'r misoedd diwethaf yma fe barhaodd y cof a'r galar am Diana. Ond Hon oedd fy nhywysoges i.

'FO'
6 Mawrth 1999

'Mistar Jôs, Mistar Jôs, ma' Fo a Fe yn Llangybi.' Un o'r plant a'i wynt yn ei ddwrn yn cyhoeddi'r newydd i Huw D. Jones, prifathro clodwiw yr ysgol gynradd yn Eifionydd lle bûm innau'n ddisgybl. A'r rhyfeddod prin a lonnodd y bychan o'i weld ar amser cinio yn y pentre oedd rhan allweddol o'r rhaglen deledu Gymraeg fwyaf poblogaidd a fu, sef y 'Fo' yn *Fo a Fe*, Guto Roberts. Y pendant i'r eithaf, hoffus gymeriad a'i gymwynasau'n ymestyn o adfer cartref Kate Roberts i osod ar fideo achlysuron mawr a bach ei gymdeithas.

Roedd Guto yn un o hen deuluoedd Eifionydd, teulu Isallt Fawr yng nghesail moelydd unig Cwm Pennant, bellter byr o ffarm Tyddyn Mawr lle maged fy nhad. Ac fe fu yna sefydlogrwydd anarferol yn Eifionydd am ei bod gynt yn fro anhygyrch gyda'r môr yn cyrraedd Aberglaslyn – sefydlogrwydd na ddifrifol chwalwyd mohono hyd ail hanner y ganrif yma. O ganlyniad, yng nghyfrol Ceiri Griffth o achau teuluoedd Eifionydd, medrir gweld cymaint ohonom sy'n berthnasau ac, o graffu, gweld fy mod innau hefyd yn perthyn i Guto am i fy hen daid briodi merch o deulu Isallt Fawr, teulu y medrir cyfrif degau o feddygon yn rhan ohono. A'r enwocaf o'r rhai diweddar ydi'r llawfeddyg Owen Owen, y bu Guto Roberts yn gyfrifol am gyhoeddi *Doctor Pen y Bryn*, y gyfrol ardderchog o atgofion y meddyg poblogaidd sy'n mwynhau ei ymneilltuaeth yn Nhregarth.

Fe fu Eifionydd yn ffodus, nid yn unig yn ei beirdd ond hefyd yn yr awduron a ymddiddorodd yn hanes y fro rhwng môr a mynydd. Prin y ceir cwmwd yng Nghymru gyda hanes ei thiroedd a phob un wan jac o'i ffermydd wedi ei osod ar ddu a gwyn fel y gwnaeth Colin Gresham yn ei gyfrol fawr. A chymwynas olaf un Guto Roberts oedd cyhoeddi ei gyfrol *Eifionydd* y llynedd lle mae'n eich arwain trwy bob twll a chornel o'r fro, heb anghofio cartref yr un o'i henwogion a phrofi pa mor gydnabyddus ydoedd â'r hanes a'r campweithiau a'r cyfraniadau. Guto ei hun yn wir werinwr hunanddiwylliedig, ac ychydig iawn o'i debyg sydd ar ôl.

Rwy'n ei gofio yn y dyddiau pan oedd yn siopwr cyn iddo ddod yn enwog fel actor ar y radio a'r teledu, ac yn gyfarwydd â'i fawr ddiwylliant. Ac y mae'n amheus a oedd yna un Cymro byw a chyn gymaint o englynion ar ei gof. Ym Mhrifwyl gynta'r Bala fe'i heriwyd gan ddau a gredent eu bod yn gwybod mwy na neb o englynion, ond fe'u lloriwyd gan Guto, a oedd yn gryn englynwr ei hun.

Nid cydnabod oedd Guto i mi ond un o'm ffrindiau pennaf – sydd wedi mynd mor brin. Ac yn y blynyddoedd diwethaf mi gefais gyfle i ymddiddori mewn rhai o'i niferus ymchwiliadau. A diddorol tros ben fu ei ymchwil a gadarnhaodd y chwedl yn Eifionydd fod gan Robert ap Gwilym Ddu, awdur 'Mae'r gwaed a redodd ar y groes', blentyn siawns o forwyn fu yn ei gartref, ffarm y Betws Fawr ar gwr y Lôn Goed. Darganfu Guto ei henw a pherthnasau iddi, a'r ffaith ei bod wedi ymfudo i'r America. Bûm innau'n ddigon ffodus i fedru dweud wrtho fod darlun o'r ferch, hyd y dydd heddiw, yn crogi ar fur hen gapel Cymraeg Moriah yn Utica i goffáu ei chyfraniad wrth sefydlu'r achos a enwodd ar ôl capel Moriah, Caernarfon.

Cofio hefyd fy siwrnai olaf gyda Guto a Marian. Mynd y llynedd ar nos Sadwrn hafaidd i Feddgelert, a oedd yn orlawn o ddathlwyr y newydd i'r pentref gael ei ddyfarnu yr harddaf yng Nghymru. Mynd am dawelwch i'r fynwent lle mae bedd fy hendaid, ond beddau Parry-Williams a'r teulu a'n llygad-dynnodd. Pedwar bedd cyfagos teulu Syr Thomas yn wahanol i'r gweddill a wynebai'n draddodiadol a thraed y meirwon at wynt y dwyrain – y pedwar yma'n wynebu'r ffordd arall. Pam? Bu pob ymchwil am ateb yn fethiant. Ac i goffáu Lady Amy wele ei henw priodol anadnabyddus, sef Emiah, gydag Amy rhwng cromfachau ar y garreg. Swnio fel enw Beiblaidd, ond dydi o ddim. Ei chwaer, Mrs Mary Llewelfryn Davies, yn egluro i mi fod Emiah yn enw teuluol ers cenedlaethau ond Syr Thomas – ac Amy –

wedi methu'n lân â darganfod ei darddiad. Un awgrym, ond dim prawf, mai enw a ddaeth o lwyth o Indiaid Cochion o bopeth oedd o.

Guto a Marian fu'n gyfrifol am gyhoeddi pum cyfrol o'r sgyrsiau yma a chyfrol o atgofion. Hen gyfaill a gollwyd ar wythnos ddu i minnau ar ddannedd ei saith deg pedwar, ond nad â'n angof – na'i hiwmor a gadwodd hyd y diwedd un.

GEIRIAU
6 Mai 2000

Mi fu pwysigion S4C wrthi'n mwydro'u pennau'n dadan-
soddi'r gwahanol fathau o Gymraeg sydd yna, er nad oes
yna ddim, fel ymhob iaith, ond amrywiadau tafodieithol
a bratiaith. Ac mewn ysgrif nodedig yn yr *Herald* fe
ddamniodd yr angerddol Angharad (a diolch amdani hi
a'r rhy 'chydig o rai tebyg iddi) yr holl nonsens – a'i
harweiniodd i gysgu pan aeth i un o'u cyfarfodydd – a'r
nonsens hwnnw heb helpu S4C o gwbwl i gynhyrchu
rhaglenni mwy derbyniol.

Heb fod yna Gymraeg safonol-gydnabyddedig fe âi
pethau'n llanast, fel yr âi cyfundrefn arian heb
gydnabyddiaeth o'r gwerthoedd – neu unrhyw iaith o
ran hynny. Rydw i wedi treulio f'oes gyda'r cyfryngau
Cymraeg, yn y wasg, y teledu a'r radio gyda phobol na
châi drafferth o fath yn y byd i gynhyrchu ac i gyflwyno
popeth, trwm ac ysgafn, yn eu Cymraeg naturiol
derbyniol gan bawb, heb freuddwydio am gynnwys na
bratiaith na Saesneg. Papur fel *Y Cymro*, rhaglenni teledu
fel 'Heddiw', rhai radio fel 'Rhwng Gŵyl a Gwaith', sydd
ymysg y pethau y cyfeiriodd Angharad atyn nhw. A raid
i fawrion S4C wneud dim mwy nag edrych ar eu rhaglen
fwya poblogaidd o ddigon – 'Pobol y Cwm' – sydd, fel 'Fo
a Fe' gynt, wedi ei seilio'n ieithyddol ar Gymraeg
naturiol ac nid ar unrhyw ddadansoddiad. A job S4C ydi
chwilio am fwy o amrywiaeth o raglenni sy'r un mor
gymeradwy ac mor wreiddiol, ac nid gwastraffu arian ac
amser ar ddadansoddiadau sy'n rhoi llwch yn eu llygaid

eu hunain. A dim ond trin a pharchu'r Gymraeg fel y gwneir y Saesneg sydd raid i'r cyfryngau yng Nghymru.

Ac wele enghraifft o simsanrwydd yr holl ddadansoddiadau yma. Yn y pedwar categori honedig lle corlennir y siaradwyr Cymraeg i S4C wrth nodi eu hoff raglenni fe gynhwysir y rhaglen 'Heno' yn y tri chategori mwya – er na welwyd enw'r rhaglen honno o gwbwl ymysg yr ugain o raglenni mwya poblogaidd S4C ers wythnosau.

Am ystyriaeth fwy cyfrifol o'r Gymraeg a'i phroblemau gweler *Y Traethodydd* lle'r ymresyma Fiona G. H. Wells pam na fedrir disgwyl i'r gyfundrefn addysg ei hun droi'n achubydd yr iaith.

Mi gefais i ddogn helaeth o fy addysg wrth draed Syr Ifor Williams oedd â'i adnabyddiaeth o'r Gymraeg yn fwy trwyadl nag adnabyddiaeth holl aelodau'r Bwrdd Iaith presennol. Roedd yn ymwybodol bod y Gymraeg, fel pob iaith, yn newid gydag amser, ond yn newid yn llawer iawn arafach na'r rhan fwyaf o ieithoedd. Mae'r Gymraeg oedd mewn bod pan oedd y Saesneg yn iaith arall – Anglo Saxon – yn dal yn rhesymol ddealladwy i Gymro diwylliedig heddiw.

Ac wrth Syr Ifor y cyfeiriodd Rowena, diweddar briod y diweddar Ifor Bowen Griffith, un o'r dywediadau mwya cyrhaeddgar. Cwrdd â'r Syr ar faes Caernarfon pan oedd mewn gwth o oedran a Rowena, oedd yn hen ddisgybl iddo, yn holi sut roedd o. 'Dim ond gweddol,' meddai, gan ychwanegu, 'Geiriau, wyddoch chi, ma' nhw yn fy ngadael i, ac yn gwrthod dod yn ôl.' Ac ateb Rowena, 'Yr hen betha gwael a chitha wedi bod mor ffeind wrthyn nhw.'

Ac os ydi'r Gymraeg bresennol i newid, tasg ydi hynny i'r rhai sy'n dal i'w defnyddio'n naturiol yn eu bywyd beunyddiol, ac wedi bod mor ffeind wrth ei geiriau, ac nid tasg pobol o'r tu allan sy'n meddwl eu bod yn gwybod y cyfan am ieithoedd eraill, nac, rhaid i mi ddweud, er hwylustod i ddysgwyr. Felly, am nad yw'n ymwybodol o hyn, ofer disgwyl achubiaeth gan y Bwrdd Iaith sy' gennym ni.

Ddwy flynedd yn ôl cytunodd y Bwrdd Iaith i roi grant o ddeng mil o bunnau tuag at gost Swyddog Datblygu i'r Cyngor Ysgolion Sul ac Addysg Grefyddol gan greu'r argraff y parhâi'r grant tros gyfnod. Ond, er ei lleied ac er cystal yr achos, fe wrthodwyd ymestyn y grant eleni gan dorri eu gair a chau'r drws ar un o hen gymwynaswyr mwyaf un y Gymraeg. Sy'n deud y cyfan am y Bwrdd. Ac mewn cyfrol ddiweddar (gweler *Golwg*) fe ddywed Glyn Williams mai rhan o broblem y Gymraeg, ac nid yr ateb iddi, ydi'r Bwrdd Iaith ei hun.

A'r gwarth eithaf, y Cynulliad o bawb yn swyddogol amau y gallasai pwyslais ar y diwylliant Cymraeg ddrysu economi Cymru a'r gobaith am arian Ewrop. Gweler erthygl olygyddol nerthol *Barn* lle holir ai diogi ynteu dichell sy'n gyfrifol am hyn.

A be fedra' i ddweud ond O! fy hen Gymraeg. A biti *fod* yna bethau heblaw snwcer ac enwau fel Williams, yn te!

Y GÊM NEWYDD
27 Mai 2000

Be sy'n digwydd i chi pan ydach chi'n heneiddio, deudwch? Wel, mi fu'n rhaid i mi ddifrifol ofyn y cwestiwn i mi fy hun yr wythnos yma. Ac mi ddeuda i wrthach chi pam. Roedd gan Robin, y mab, docyn ar fy nghyfer i weld Cymru'n chwarae yn erbyn Brasil ym Maes y Milflwydd yng Nghaerdydd nos Fawrth ac, er maint fy hen ddiddordeb yn y bêl-droed, nac un dim yn fy rhwystro, peidio â mynd yno wnes i. Pam?

'Stalwm pan oeddwn i'n blentyn doedd yna ddim radio na theledu, a dim papur dyddiol ar wahân i un *Daily Post* ac un *Daily Mail* yn cyrraedd y pentref yn Eifionydd. Ond roedd enwau fel Dixie Dean a Jack Hobbs o feysydd y bêl-droed a'r criced yn hysbys iawn i ni i gyd a ffraeo mawr wrth gicio pêl cyn cytuno gan bwy roedd yr hawl i'w alw'i hun yn Dixie.

Cyn ac ar ôl y rhyfel, dan yr enw Gwyliwr, mi fûm i'n ohebydd pêl-droed *Y Cymro* – yr un cyson cyntaf erioed yn Gymraeg rwy'n meddwl – ar gyfnod pan oedd yn rhaid chwilio am enwau Cymraeg ar bob safle nes daeth gôl-geidwad, cefnwr, canolwr, mewnwr, asgellwr a blaenwr yn rhan o'r iaith. A chollais i 'run gêm a chwaraeodd tîm Cymru am flynyddoedd lawer.

Yn yr hen gyfnod, Manchester City nid Manchester United, ac Everton nid Lerpwl oedd yr enwau mawr yn ogystal ag Arsenal. Tymor Matt Busby ddaeth â Manchester United i'r brig ac un y cymeriad mawr, Bill Shankly, ddaeth â Lerpwl. A rhai o'i ddywediadau gwerinol ffraeth yn dal yn gofiadwy megis – 'Nid mater o fywyd a marwolaeth ydi pêl-droed – mae'n llawer mwy pwysig na hynny.'

Ac am dîm Lerpwl mae un o'r straeon pêl-droed gorau'n dal yn hysbys am ei bod, yn ôl pob sôn, yn wir. Ar amser pan oedd Ian St John yn fewnwr i dîm Lerpwl, cyn troi'n sylwebydd teledu poblogaidd, yr oedd mudiad efengylaidd yn gosod posteri yn y gwahanol ddinasoedd ac arno yn Saesneg – Be fasech chi'n neud pe deuai Iesu Grist i —, ac yna enw'r ddinas. Ar y dde ar y ffordd i faes pêl-droed Anfield, Lerpwl mae eglwys lle gosodwyd y poster ac arno 'Be wnaech chi pe deuai Iesu Grist i Lerpwl?', a rhyw rôg wedi gosod ei ateb odano sef – symud St John yn fewnwr chwith.

Wedi i mi ffarwelio â'r papurau newydd mi ddois i adnabod yn weddol dda hen gewri'r bêl Gymreig – Trevor Ford, Ivor Allchurch, Alan Harrington, Mel a John Charles, oedd yn gymdogion agos i mi yng Nghaerdydd, a John Charles y Brenin ei hun ar yr holl bêl-droedwyr a welais i, gan gynnwys Stanley Matthews a George Best. Efo'i draed a'i ben, fel ymosodwr ac am-ddiffynnwr, dyma'r pêl-droediwr cyflawn. A dim olynydd Cymreig teilwng iddo ond Ryan Giggs, pan mae ar gael.

Fy mhleser mawr arall i fu criced. Mi welais i, cyn y rhyfel, Constantine yn chwarae yn Trent Bridge, Don Bradman a Harwood yn Old Trafford, Denis Compton yn Lords a Viv Richards a'i anhygoel ddau gant a mwy ar faes mawr yr Oval yn haf poeth saith deg chwech, heb sôn am Everton Weeks allan am ddim ar faes St. Helen, Abertawe ar wythnos y Brifwyl, a'r amlochrog Sobers yng Nghaerdydd.

Ond beth sydd wedi digwydd erbyn hyn? A fedrwch chi enwi'r un cricedwr ar ddeg yn nhîm Lloegr a lwyddodd o'r diwedd i gael tîm cyn saled ag un o wlad helbulus Zimbabwe i fedru sicrhau buddugoliaeth drosto? Ac, yn wir, faint ohonoch chi fedr enwi'r un ar ddeg Cymro a wynebodd Brasil nos Fawrth? Ac rwy'n siŵr na fedrwch enwi un ar ddeg Chelsea a enillodd gwpan Lloegr gyda deg ohonyn nhw'n dramorwyr. Ac fe godai Bill Shankly o'i fedd pe gwyddai faint o dramorwyr sydd yn nhîm Lerpwl erbyn hyn, a hyd yn oed ei hen job gan dramorwr.

A beth sydd wedi gwneud yr holl wahaniaeth? I ateb mewn un gair – arian. Beth a chwyldrodd gêm rygbi Cymru? Arian. Beth sy'n bygwth bodolaeth y Gynghrair Bêl-droed Genedlaethol Gymreig newydd? Arian. Be sy'n dod â'r holl dramorwyr yma? Arian. Beth sy'n cadw Roy Keane yn gapten Manchester United? Hanner can mil o bunnau'r wythnos. Ie, yr wythnos. A be sy'n ei gwneud yn amhosibl i'r rhan fwyaf fynd â'r holl deulu i weld gêm bêl-droed fawr? Arian. Beth sy'n gwneud i gyn lleied fynd i weld y gêm rygbi fawr yng Nghaerdydd y Sadwrn yma? Y gost. A pham roedd y dyrfa fwyaf erioed yn dod i weld gêm Cymru nos Fawrth? Am fod y gost wedi mwy na'i haneru. Ar ben hyn oll dyna'r hwliganiaeth bwystfilaidd direswm ddaeth i fyd y bêl-droed.

Ydi'r darlun yn gwella ynteu'n gwaethygu? Ydi o'n ddigon du i wneud i ni gefnu ar y gêm hyd yn oed pan mae Cymru'n chwarae, ac yn dechrau chwarae'n ganmoladwy yn ôl a welais ar y bocs? Ydi mae arna i ofn. Pêl-droed ar y teledu fydd hi bellach, gwaetha'r modd.

CLIR FEL GRISIAL
17 Mehefin 2000

Disgwyl pethau gwych i ddyfod, croes i hynny maent yn dod. Mae popeth sy'n mynd i fyny yn gorfod dod i lawr, ac mae trai yn dilyn pob llanw. Sydd y math o ystyriaethau sy'n cyniwair trwy feddyliau Llafur Newydd y dyddiau yma pan mae'r wên ar wyneb y Prif Weinidog yn pylu, ac yn treiddio trwy feddyliau cefnogwyr y Cynulliad sy'n ofni gweld yr haleliwia'n troi yn alarnad. Ac, i gwblhau'r triawd, Plaid Cymru'n gweld bygythiad cynamserol i ddiffodd y goelcerth a gynheuodd Dafydd Wigley gyda'i syfrdan o sydyn benderfyniad i encilio o'r arweinyddiaeth.

Ond y mae dyddiau, ac yn arbennig wythnosau, yn amser maith mewn gwleidyddiaeth a'r cyfan a fedrir ei wneud ydi sigledig ddamcaniaethu am yr hyn a ddaw.

Ac, i droi at ddamcaniaethu, o'r diwedd wele wir ysgolhaig yn cyhoeddus ymuno i herio damcaniaethau ieithyddol am y Gymraeg a'i dyfodol gan rai a ŵyr y nesaf peth i ddim amdani, neu sydd ag elfen gref o grancyddiaeth yn eu hysgolheictod. Pobl yr erys eu dylanwad yn drwm hyd yn oed ar y Bwrdd Iaith nad ydi ei aelodau cyffredin yn cyfrif. A rhai sydd wedi cyfrannu un dim eu hunain i ffyniant yr iaith. Ynghyd â'r rhai na chododd gri yn erbyn y bobol yma oherwydd rhyw fath o fri ar eu hysgolheictod.

Ond o'r diwedd wele gystal ysgolhaig ac amgenach Cymreigydd na'r un ohonyn nhw yn codi corwynt i chwalu eu damcaniaethau'n yfflon. Llythyr Gwawr Jones yn yr *Herald* a'r *Cymro*. Llythyr a wnaeth i mi wylo nad oes yma mwyach W. J. Gruffydd, Syr Thomas Parry,

Tecwyn Lloyd a chwip yn eu llaw i uchel-leisio'n gyhoeddus o'i blaid, ond llythyr a allasai lwyddo i ffaglu ymateb o goridorau Cymraeg Colegau Prifysgol Cymru a fu'n fudan cyhyd.

Delio mae'r llythyr â darlith a draddododd David Crystal, Athro anrhydeddus o ieithegydd yng Ngholeg Bangor yn amlinellu cynnwys cyfrol fydd ganddo yn datgan fod dyfodol da i'r Gymraeg wedi ugain mlynedd o dwf. Darlith a ganmolwyd i'r entrychion gan gynulliad o raddedigion Bangor sy'n cael cic solat yn eu tinau am hynny gan Gwawr Jones.

Manteisiodd y Dr Crystal ar y cyfle, wrth feirniadu'r rhai a gywirodd hysbysiad annealladwy gan barti pop y Manic Street Preachers i ddatgan hyn: 'Y puryddion yma ydi gelynion penna'r iaith Gymraeg'. (Mewn geiriau eraill, pobol fel yr Athro Hywel Teifi Edwards ydi prif elynion yr iaith.) Ac, medd y llythyr, mae i Athro gyfleu y gwnaiff rhywbeth y tro i'r Gymraeg yn sarhad ar ysgolheictod, ac fe hola a fyddai'n defnyddio'r un llinyn mesur wrth drafod y Saesneg. Sgersli bilîf.

Gyda'r crap *ar* y Gymraeg sydd gan yr Athro, fe ddylasai wybod mai crap *yn* y Saesneg yw'r fath haeriad ac nad oes yna buryddion os oes llygrwyr iaith yng Nghymru. Fe fu yna rai fel John Morris-Jones, pan oedd mawr alw amdanyn nhw, a osododd yr iaith safonol ar ei hen seiliau cadarn gyda'i gydoeswr O. M. Edwards a'i rhugl ddefnyddiodd rhag iddi droi'n fratiaith. Ond dim puryddion fel y cyfryw heddiw.

Ond y mae yna warchodwyr y safonau o raid ym mhob iaith gan gynnwys y Saesneg ac yn arbennig y Ffrangeg.

Fe â Gwawr Jones ymlaen i restru pam nad yw brwydr

yr iaith ar ben, fel yr haerir, a pham nad yw'r Gymraeg yn ddiogelach heddiw nag y bu ers blynyddoedd, fel yr haera'r Athro Crystal, a bod ei pharhad a'i gloywder yn ddyledus, a dyfynnu: 'i waith gan wirfoddolwyr yn bennaf, amaturiaid megis cynhyrchwyr y papurau bro, arweinwyr corau a dysgwyr'. Ac fe ychwanega 'Felly y bu hi erioed.' Ac Amen i hynyna medda finnau.

Diwedda'r llythyr gyda 'Tra bydd rhai fel Dr Crystal yn dal i siarad dwli, fe fydd brwydr yr iaith yn dal i fynd yn ei blaen.'

Ar ben hyn caewyd y caead yn dynn iawn ar biser yr Athro Crystal gan Ieuan Wyn ar Radio Cymru gyda Gwilym Owen nawn Llun mewn rhyfeddol o oleuedig gyfweliad.

A dyna ni. Rhydd i bob un ei farn, mae'n dal yn wlad rydd, ac aed yr Athro rhagddo i gyhoeddi ei farn o yn ei gyfrol; mae digonedd o le iddi hi yn y fasged.

TRYSOR PENIARTH
27 Mehefin 2000

Ar wahân iddi fod yn wythnos o dywydd cyfnewidiol fu hi ddim yn un dda i dîm criced na phêl-droed Lloegr, y bu ochenaid o ryddhad pan gollodd hwnnw bob cyfle am y cwpan a thynnu i'w ben ymgyrchoedd bwystfilaidd a dinistriol ei gefnogwyr. Ond, yng Nghymru, cytundeb o'r diwedd i godi cartref teilwng i'r Cynulliad. Rhyw ganrif yn ôl cododd Caerdydd fentrus ganolfan ddinesig sy'n dal yn destun edmygedd. Gobeithio y bydd y ganolfan newydd yr un mor dderbyniol ymhen can mlynedd arall – a dyw'r gost yn ddim o'i gymharu â'r hyn a werir yn yr Alban, ac ar bethau eraill.

A'r newydd da i Wynedd ddirwasgedig – gwaith a hwnnw'n waith cynhyrchu i dros gant a hanner yn Llandygái, diolch i fenter cwmni beiciau o Taiwan. A bellach mae'r gwaith yn dod o Taiwan. Fy ngheiniog mewn banc yn China; fy nŵr yfed yn perthyn, pan setlir, i Japan neu America; fy nhrydan yn eiddo'r Albanwyr. Pryd rydan ni'n hunain am fentro trosom ein hunain, deudwch?

Ond tros y Sul bu'n haul ar fryn a mwynheais innau drip blynyddol aelodau diddan Clwb diwylliannol Eryri. Mynd ar ddyrys daith tros lonydd culion Meirionnydd. Pasio Tal-y-llyn a gorfod ofer grafu 'mhen wrth geisio cofio enw'r llyn ei hun. Ond Pennant ar ei deithiau yn cofio mai Llyn y Myngil (neu'n gywirach Mwyngil) ydi o.

Pen y daith oedd Llanegryn, man na bûm ynddo erioed o'r blaen. Pentref lle ganwyd y cymwynaswr mawr, y Dr Meredydd Evans, sy'n gwella o drawiad arall o'i hen aflwydd ar y funud, a'r Arglwydd Prys Davies, y cyhoeddodd ei dad, William Davies, hanes y plwyf yn un o'r cyfrolau gorau o'i bath, yn ôl Iorwerth Peate. Yr eglwys a'n denodd yno am fod ei sgrîn yn aros yn un o ryfeddodau Cymru – ceinder anghymharol hen seiri a fu. A chawsom gip ar safle Castell y Bere, fu'n rhan o'n hanes hyd ddyddiau Glyndŵr, ac sydd bron yng ngolwg Llanfihangel-y-Pennant a chartref Mary Jones a gerddodd bob cam i'r Bala am ei Beibl.

Ond y pennaf gyrchfan oedd plasty Peniarth. Yma teulu Williams Wynne ydi landlordiaid pentref

Llanegryn a'r fro. Parhânt i drigo yn yr hen blas ynghanol yr amrywiaeth o goed a blannwyd o'i amgylch ac roedd cael ymweld â'r ystafelloedd fel cael mynediad i oes arall, mwy sgweieraidd. Cymharol fechan ydi ystafell y llyfrgell bresennol lle mae'r cyfrolau wedi eu goludog rwymo – ond o lyfrgell Peniarth y daeth y gyfran bwysicaf un o'n llawysgrifau i feddiant ein cenedl.

Fe ddechreua stori'r drysorfa anhygoel yma gyda dau oedd yn eu blodau yn hanner cyntaf yr ail ganrif ar bymtheg, dair canrif a hanner yn ôl, a gasglodd ac a ddiogelodd gyflawnder o'n llawysgrifau pwysicaf. Un oedd John Jones, Gellilyfdy, plwyf Ysgeifiog, y Fflint, cymeriad oedd hefyd yn gopïwr dyfal a medrus. A'r llall oedd Robert Vaughan o'r Hengwrt ar gwr Dolgellau. Trawyd bargen rhwng y ddau. Pa un bynnag fyddai farw gyntaf i adael ei gasgliad i'r llall. Ac i Robert Vaughan Hengwrt yr aeth y cwbl.

Arhosodd y casgliad aruthrol ei werth yn Hengwrt hyd un wyth pump naw pan drosglwyddwyd y cyfan oll trwy ewyllys Syr Robert Williams Vaughan i deulu Wynne Peniarth. Yn ddiweddarach, wedi marwolaeth dau frawd o deulu Wynne, aeth y casgliad a alwyd yn un Hengwrt-Peniarth yn eiddo i Syr John Williams. Yr oedd Syr John yn frodor o Wynfe, Caerfyrddin ac yn llawfeddyg enwog a meddyg i'r teulu brenhinol a hefyd yn un o brif sylfaenwyr Llyfrgell Genedlaethol Cymru, ac fe addawodd gyflwyno'r holl gasgliad i Lyfrgell Genedlaethol newydd Cymru, pe sefydlid hi yn Aberystwyth ac nid yng Nghaerdydd gyda'r Amgueddfa Genedlaethol newydd.

Ac felly y bu. Yn un naw dim naw trosglwyddodd Syr

John Williams y casgliad cyfan i Lyfrgell Genedlaethol Cymru yn Aberystwyth, ac yno y mae.

Oferedd i mi yma fuasai ceisio manylu ar faint a natur a phwysigrwydd y casgliad yma – tros bum cant o lawysgrifau amrywiol, amhrisiadwy. Yn eu plith Llyfr Du Caerfyrddin, copi o hen gerddi o bob math sy'n dyddio o oddeutu canol y drydedd ganrif ar ddeg. Dyma lawysgrif sylweddol ei maint hyna'r iaith Gymraeg. Ychwanegwch Bedair Cainc y Mabinogi, Llyfr Gwyn Rhydderch a rhamantau fel Iarlles y Ffynnon, Breuddwyd Rhonabwy, Culhwch ac Olwen, Llyfr Taliesin, Brut y Tywysogion – a waeth i mi stopio yn y fan yna heb ddweud mwy na sicrhau y buasai'n hanes ni'n anhraethol dlotach, yn ddiwylliannol a hanesyddol, oni bai am y goludog gasgliad yma a ddaeth, o hen blasty Peniarth, yn eiddo i ni i gyd.

CYMRAEG A'R COLEG
9 Medi 2000

Nid sgwrs sydd gen i'r tro yma ond cri o galon hen fyfyriwr yn Adran Gymraeg Coleg y Gogledd, Bangor tros dynged yr adran gyda'r argymhelliad sy'n achosi mawr bryder i'r rhai sy'n ymwybodol ohono i uno'r adran Gymraeg gydag adran newydd y Cyfathrebwyr. Mi geisia i gyflwyno'r cefndir gorau medra i.

Dyw'r hen goleg ddim fel y buo fo. Llifeiriodd myfyrwyr newydd o bobman ond o Gymru ac fel y cododd y niferoedd, fel yn gyffredinol, gostyngodd y safonau. Yn lle'r wyth gant – a'r mwyafrif yn Gymry

Cymraeg – oedd yno cyn y rhyfel mae wyth mil a hanner bellach, a'r Gymraeg gan y lleiafrif llethol.

Cymhlethwyd pethau ym Mangor pan ymgorfforwyd, yn ddoeth neu'n annoeth, yng Ngholeg y Brifysgol y Coleg Normal, enwog gynt am hyfforddi athrawon ond a oedd erbyn hynny wedi ychwanegu Cyfathrebu at ei raglen, un o'r arfrifed bynciau newydd ymylol-academaidd neu hollol anacademaidd a gyrhaeddodd – pynciau sy'n fwy addas ar gyfer tystysgrifau mewn sefydliadau technegol na graddau mewn prifysgolion. Tuedd Americanaidd a ymledodd fel brech trwy Brydain i lwyr ddiraddio'r graddau.

Canlyniad hyn oll fu gwneud Coleg Prifysgol Bangor yn gyfrifol am yr Adran Gyfathrebu. Ac, fel mae'n digwydd, mi fu Adran Gyfathrebu eisoes ynghanol problemau ad-drefnu yn y Brifysgol yn Aberystwyth ac yno, credwch neu beidio, y penderfyniad terfynol oedd – er mwyn dal i gadw'r adran – dileu'r adran Gerddoriaeth a arloeswyd i Brifysgol newydd Gwlad y Gân gan Joseph Parry.

A chododd yr Adran Gyfathrebu broblemau ym Mangor hefyd. Roedd yn adran newydd a chymharol wan, ac yn adran Gymraeg. Yr unig adran arall gyfangwbl Gymraeg (ar wahân i'r un Gymdeithaseg) ym Mangor, oedd yr adran Gymraeg ei hun. Ac felly, gyda rhyw resymeg ryfedd fe gynlluniwyd i uno'r ddwy adran am, yn un peth, fod hynny'n ieithyddol bosibl. Sydd ddim yn rheswm da. Mae'n bosibl neidio tros ganllaw Bont y Borth i'r môr, ond ydi pobl ddim yn gwneud hynny.

Staff yr adran Gymraeg cyn y rhyfel ym Mangor oedd

yr Athro Ifor Williams, ar gyflog o wyth gant o bunnau y flwyddyn, ynghyd â Thomas Parry, a Williams Parry yn rhan amser. John Morris-Jones oedd yr Athro cyntaf a baradocsaidd ddarlithiai yn Saesneg yn unig. Ifor oedd y darlithydd cyntaf yn y Gymraeg. Fe'i dilynwyd gan Thomas Parry, Caerwyn Williams, Melville Richards, Bedwyr Lewis Jones a Gwyn Thomas, sy'n ymddeol ddiwedd y mis yma – a'r unig un sy'n fyw o'r holl Athrawon. Raid i mi ddim ymhelaethu ar gyfraniad yr Athrawon yma a'u darlithwyr, a'r myfyrwyr a gynyrchasant, i ddiwylliant Cymraeg eu gwlad.

Cyn cwblhau uno'r ddwy adran byddai'r un Gymraeg, fe argymhellwyd, yn aros gydag oddeutu hanner dwsin o staff a phennaeth, ond heb Athro, heb Broffesor felly, o gwbwl tan oddeutu diwedd Mawrth y flwyddyn nesaf. A byddai pennaeth yn aros gyda adran y cyfathrebwyr. Yna byddai'r ddwy adran yn un o dan un Athro. Ac mi fyddai angen gwyrth cyn darganfod hwnnw, y byddai'n rhaid iddo fod yn ysgolhaig Cymraeg o'r radd flaenaf un ac yn hollol gydnabyddus hefyd â dyrys feysydd newydd y cyfryngau, gan gynnwys y byd mwyaf cystadleuol mewn bod, gwŷr y wasg. Ble mae'r fath anifail?

Ni bu rhaglen yr Adran Gymraeg yn ddigyfnewid chwaith. Gynt, dim mynediad i'r cwrs anrhydedd heb basio arholiad Groeg neu Ladin ar derfyn y flwyddyn gyntaf – penyd a ysbrydolai'r myfyrwyr i floeddio canu ar y coridorau: 'Ni bydd Lladin yn y nefoedd, Ni bydd Groeg yn nhŷ fy Nhad'. Bellach nid oes Ladin, nid oes Roeg nac Athroniaeth o gwbwl yn yr Adran Gymraeg.

A'r newyddbethau i'w hymgorffori yn yr Adran Gymraeg newydd fuasai astudiaethau ffilm, theatr, newyddiaduraeth – cyfuniad sydd o bosib yn smart ond yn anghyfartal. Lobsgows, nid yr academig dost.

Diflannodd yr hen rywogaeth o lyfrbryfed athrylithgar, gwerinol megis Bob Owen a Myrddin Fardd. Â holl ddyfodol yr holl ysgolheictod Cymraeg bellach yn nwylo adrannau y Prifysgolion Cymraeg, megis un bresennol Bangor, mae'n hanfodol bod ei dwylo'n aros yn annibynnol rydd. Gan hyderu yr erys digon o ewyllys da i ailystyried a gofalu mai felly y bydd hi. A phan ddewisa Rhodri Morgan Gymro Cymraeg i ofalu am yr iaith i'r Cynulliad, un o'i dasgau cyntaf ddylai fod sicrhau adroddiad llawn ar sefyllfa'r Gymraeg a'i dyfodol ym mhob un o Golegau Prifysgol Cymru.

CIP AR HANES
30 Medi 2000

Y newyddion da yn gyntaf ar wythnos fu'n wythnos a hanner, rhwng popeth. Adenydd y llong awyr fwyaf yn y byd i'w chynhyrchu – nid i'w hadeiladu – ym Mrychtyn yng Nghlwyd gan ddiogelu mil saith gant o swyddi am oes, heb sôn am ryw fil o swyddi ychwanegol ar y cyrion.

A dyna'r miri mawr yng Nghynhadledd Llafur gyda'r Canghellor, a'r Prif Weinidog yn arbennig, yn gorfod traddodi araith fwyaf tyngedfennol ei brifweinidogaeth – yr hyn a wnaeth heb unrhyw addewid bendant i ostwng y dreth betrol – ac roedd disgwyl iddo wneud hynny yn ddisgwyl gormod. Ond wele addewid i ofalus wrando, gan wneud yr un peth, ond nid mor llwyddiannus, gyda'r gri am amgenach pensiwn i'r henoed. Dibynna gobaith y

Llywodraeth Lafur am ail dymor ar yr ymateb terfynol i'r bron bawb a effeithir gan bris yr olew ac i'r un miliwn ar ddeg o hen bensiynwyr – digon i ddymchwel unrhyw lywodraeth. Ond, cyn gwneud hynny, rhaid i rai fel fi, sy'n bensiynwr a modurwr, ac i bawb arall ddifrifol ystyried sut lywodraeth gawn ni yn ei lle.

Ac yn ystod yr wythnos drymlwythog yma mi benderfynais ei bod yn hwyr bryd i mi ymweld â'r Llyfrgell Genedlaethol i weld y llythyr hanesyddol a anfonodd Owain Glyndŵr o Bennal at frenin Ffrainc, cyn i'r epistol fynd yn ôl i Baris.

'Stalwm, pan oeddwn i a'm tebyg yn blant y Cownti Sgŵl, roeddem ni o leia'n ymwybodol fod 'na'r fath iaith â Lladin, ac yn gyfarwydd â'i sain – gan ddal i gofio o leiaf ambell air, megis 'mensa' am fwrdd. Ac yn nyddiau Glyndŵr, chwe chan mlynedd yn ôl, Lladin oedd yr esperanto a gysylltai frenhinoedd ac archesgobion ac ysgolheigion y gorllewin yn swyddogol â'i gilydd. Ac mewn Lladin yr anfonodd Owain ei neges i Siarl y Chweched, brenin Ffrainc. Neges gadwedig sy'n amleiriog ddelio'n bennaf â'r berthynas a ddeisyfai Cymru â'r Pab. Ond pa Bab?

Achos roedd yna rwyg tyngedfennol yn yr Eglwys Gatholig, gyda Phab wedi'i sefydlu ei hun fel Benedict y Trydydd yn Avignon, Ffrainc ac a haerai mai fo, ac nid y Pab yn Rhufain, oedd gwir deyrn yr Eglwys. Ac yn ei adolygiad enwog ar gyfrol Hanes y Babaeth gan Rank, fe ddarluniodd Macaulay y ddau Bab yn hyrddio eu melltithion at ei gilydd draws Ewrob yn hynod anghrefyddol.

Am mai Pab Rhufain a gefnogai brenin Lloegr, trodd

Owain Glyndŵr ei deyrngarwch at Bab Avignon, a gefnogid gan frenin Ffrainc, y deisyfai Owain ei gefnogaeth yntau. A phrif bwrpas y llythyru yma o Bennal oedd sicrhau teyrngarwch Owain i Bab Avignon gan nodi'r bendithion a ddeisyfai Cymru trwyddo, sef rhyddhau yr Eglwys yng Nghymru o awdurdod Archesgob Caergaint yn Lloegr gan drosglwyddo'r awdurdod Cymreig i Dyddewi, ynghyd â chael offeiriaid oedd yn hyddysg yn y Gymraeg. Hefyd sefydlu dwy brifysgol, un yn y gogledd ac un yn y de i Gymru. Dyna'n fras ydi neges ryfeddol radicalaidd y llythyr maith.

Fe ddadleuir nad oedd, yng nghyfnod Glyndŵr, ymwybyddiaeth o genedl a chenedlaetholdeb. Ac eto fe ystyriai Glyndŵr Gymru fel un wlad, yn perthyn i un genedl ac un iaith, a ddylasai lywodraethu'i hunan. Ond fe drodd yn rhyw fath o chwedl, megis Arthur, a'r ffaith nad oes gofnod o fath yn y byd am ei farwolaeth wedi dirfawr ymchwyddo'r chwedl honno. Ceir arddangosfa ganmoladwy gan y Llyfrgell ond, yn sobor iawn, Saesneg yn unig sydd ar ffilm ddigon taclus am Owain ond sydd â'i diweddglo yn annerbyniol o Seisnigaidd.

Ond ym Mhentrefelin yn Eifionydd – nid ym Mhen Llŷn sylwer – y bu farw un o feirdd mwyaf Cymru yn wyth deg saith oed. Cwblhaodd R. S. Thomas ei reithoriaeth yn Aberdaron ac, o'i gyfnod cynnar ym Manafon ym Mhowys, cyfansoddodd bymtheg cant o gerddi a chyhoeddodd ddeg cyfrol ar hugain. Am mai dysgu'r Gymraeg a wnaeth ni fedrodd farddoni ynddi ac fe'i hanrhydeddus restir gyda beirdd Seisnig mawr megis Yeats, Auden ac Eliot, ac fe'i gosodwyd gan Meic Stephens goruwch Dylan Thomas. Cawr ym mhob ystyr, garw ei wedd, cynnes ei galon, naturiaethwr mawr a bron na allesid dweud bod creaduriaid natur yn agosach ato na phobol. Ond cenedlaetholwr Cymraeg gyda'r grymusaf a'r mwyaf diflewyn-ar-dafod ei brotest yn erbyn y mewnlifiadau a'r dylanwadau Seisnig oedd, ac sydd, yn bygwth y Gymraeg.

★ ★ ★

Sgwn i be ddywedai R. S. pe gwelsai'r diweddaraf o'r arwyddion ffyrdd sy'n peryglu bywydau ar Ynys Môn. Dyma fo: LLWYD TRUED WEDI CAM. O'i gyfieithu, Llwybr Troed Wedi Cau. Mi ddeil rywbeth i wneud y tro yn Gymraeg, yn gwnaiff?

Y LLYFRAU
28 Hydref 2000

Fel mae 'na dymor i saethu ffesant, mae 'na hefyd dymor, yn wir dymhorau, cyhoeddi llyfrau Cymraeg gyda'r cyntaf oddeutu Gŵyl Ddewi, yr ail adeg y Brifwyl a'r prysuraf cyn y Nadolig – ac a ganolbwyntir yn ormodol ar hwnnw sy'n fater dadleuadwy. Ond wele'i flaenffrwyth am eleni – cyfrol i gofio actor ac un i gofio actores, ac mi ddo' i at y ddwy.

Ond beth am y diwydiant cyhoeddi ei hun? Cyn y rhyfel, pob cwmni trosto'i hun oedd hi gyda Hughes a'i Fab o'r pencadlys yn Wrecsam yn ledio'r ffordd. Bellach mae 'na Gyngor Llyfrau a grantiau ar gyfer cyhoeddi llyfrau Cymraeg – cyfran o'r polisi i ddiogelu'r iaith. Ac er gwaetha'r holl ddatblygiadau electronig apelgar mae llyfrau a darllenwyr yn parhau'n elfen hanfodol o'n sylfaen ddiwylliannol.

Ac mi ddechreuwn ni gyda chip ar economi'r farchnad yma. Sut mae hi'n gweithio?

Mi gymerwn ni fod cyfrol arbennig ar werth am bumpunt. Pwy sy'n cael y pumpunt? Wel, mae saith a deugain a hanner y cant o'r pris yn mynd i'r Cyngor Llyfrau sy'n gyfrifol am ei ddosbarthu. Ond allan o'r gyfran yna o'r pris mae'r Cyngor yn talu tri deg tri y cant o bris y llyfr i'r llyfrwerthwr. A'r cyfan mae'r awdur druan yn ei gael ydi deg y cant o'r pumpunt, sef hanner can ceiniog y copi am ei drafferth, gyda'r siopau yn cael teirgwaith hynny. A'r cyhoeddwr yn cael y gweddill – oddeutu'r hanner, a grant o bosib.

Fe gyhoeddir oddeutu chwe chant o wahanol lyfrau Cymraeg y flwyddyn, gyda rhyw ddau gant o'r rheiny'n derbyn grant y Cyngor Llyfrau. Caiff rhyw ugain o gyhoeddwyr llyfrau Cymraeg grantiau rheolaidd bob blwyddyn, ond y rhan helaethaf o'r grantiau, pedwar ugain y cant yn mynd rhwng y pum prif gyhoeddwr, sef Gwasg Carreg Gwalch, Llanrwst; Gwasg Gwynedd, Caernarfon; Gwasg y Dref Wen, Caerdydd; y Lolfa, Tal-y-bont – pob un yn gyhoeddwyr gweddol newydd, ynghyd â'r hen Wasg Gomer, Llandysul.

Ond mae gwerthiant o fil, i gyfrol, yn werthiant gyda'r gorau yn y siopau, a nofel yn ei chael yn anodd gwerthu tros bedwar can copi. Ar y llaw arall ceir chwe deg saith o filoedd o gartrefi Cymreig yn prynu papur bro – gwyrth fawr y cyhoeddi Cymraeg.

Dyna ran o'r cefndir mae'r Cyngor Llyfrau'n ymwybodol ohono wrth ymdrechu i wella ar y cynnyrch.

y tâl a'r gwerthiant, gan orfod derbyn y ffaith mai dim ond rhyw dri dwsin o siopau sy'n sylfaen i werthu llyfrau Cymraeg. A gan gofio na wnaeth neb ffortiwn wrth sgrifennu cyfrol Gymraeg na llwyddo i fyw fel awdur, fe gydnabyddir nad yw'r awduron yn cael eu cyfran deg o bell ffordd am wneud y llyfrau'n bosib.

Sy'n dod â ni at y ddwy gyfrol sy'n cyhoeddi bod y farchnad Nadoligaidd wedi agor. Un, 'Elen Roger', portread o'r actores Elen Roger Jones gan y diwyd Harri Parri, Gwasg Pantycelyn am naw punt ond pum ceiniog. A 'Dyma Fo – Guto', portread Meredydd Evans o'i hen ffrind o actor Guto Roberts, gan Wasg anturus Carreg Gwalch am saith bunt.

Dau beth ychwanegol yn gyffredin rhwng y ddau actor. Elen wedi cyfrannu'n hael i'r diwylliant gwerin, yn arbennig yn Ynys Môn ac wedi cael, fel Guto, lwyfan helaeth ar radio a theledu y BBC.

Elen yn chwaer i'r enwog Huw Griffith ac, yn wahanol i Guto, wedi cael coleg, ond y ddau wedi datblygu'n actorion o'r radd flaenaf heb orfod dibynnu o gwbwl ar unrhyw ysgol ddrama am eu bod yn ddynwaredwyr wrth natur.

A Guto'n rhyfeddol amryddawn a'r gyfrol yn un sy'n darlun nid yn unig o Guto ond hefyd o ddiwylliant gwerin Cymru yn y ganrif ddiwethaf – diwylliant â bysedd Guto ym mhotes pob agwedd ohono, gwir gawr gwerin a bro yn ogystal ag eilun cenedlaethol, diolch i bortreadau megis yr un o Effraim Huws, y Fo yn 'Fo a Fe', ag enwi'r enwocaf.

A'i gyfraniad i ddiwylliant gwerin Eifionydd yn ddifesur gyda'i gyfrol ar Eifionydd yn benllanw.

Sgrifennwr Cymraeg rhywiog, fel y gwelir yn y gyfrol yn y dewis helaeth o'i sgyrsiau radio a'i ysgrifau yn ogystal â'i rigymau a'i englynion. Ar ben popeth tros gant o ffilmiau a fideoau cadwedig yn amrywio o I.B. yn pregethu i angladd Parry-Williams. Trysor o gyfrol am hen gyfaill a ffarweliodd â ni gyda'i iasoer englyn olaf o'r ysbyty:

> Hen ingol ias yr angau – o'i oer dŷ
> Yn gordoi'r munudau.
> Diarbed gwtio edau
> Fy mod yn araf y mae.

TRI CHARLES
18 Tachwedd 2000

Nid tri phen sydd gen i i'r pwt o bregeth yma heddiw ond tri enw, tri Charles: Charles Evans Hughes, Geoff Charles a John Charles.

Charles Evans Hughes i ddechrau. Yr wythnos yma mae Unol Daleithiau America yn dal i stryffaglio dewis Arlywydd newydd, heb ei chael yn hawdd. Ac er y profiad o wneud hynny tros ddeugain o weithiau, mi lwyddon i wneud traed moch ohoni hi'r tro yma, gyda'r bleidlais mor glòs nes esgor ar bob math o ystrywiau, beth bynnag am dwyll, wrth i Bush y Gweriniaethwr ac Al Gore y Democrat geisio cael y gorau ar ei gilydd.

Y Gweriniaethwyr ydi'r mwyaf Torïaidd o'r ddwy blaid a dyma'r blaid, am ryw reswm, y mae'r Cymry Americanaidd wedi ei thraddodiadol gefnogi am

114

genhedlaeth. A dyma lle daw Charles Evans Hughes i'r darlun. Rhyw gant a hanner o flynyddoedd yn ôl fe ymfudodd ei rieni o Fryn-teg ar Ynys Môn i America. Gan mai Califfornia, enw'r dafarn leol, ydi'r enw poblogaidd ar Fryn-teg gellid dweud i'r teulu symud o un Califfornia yn nes at un arall. A disgynyddion Cymreig y teulu a ymfudodd oedd y Prifathro Barchedig Hywel Harries Hughes a'i frawd, J. R. Lloyd Hughes fu'n olygydd *Y Cymro* o fy mlaen i.

Ond mab iddyn nhw a aned yn un wyth chwe dau yn Glens Falls, Efrog Newydd oedd Charles Evans Hughes a gafodd yrfa ddisglair yn y gyfraith cyn sefyll yn un naw un chwech fel Gweriniaethwr am Arlywyddiaeth America – rhywbeth na fedrai ei wneud heb iddo gael ei eni yn y wlad.

Ond pam sôn amdano heddiw? Wel, am fy mod yn cael fy synnu na fuasai rhywun arall wedi gwneud. Achos yn y frwydr am yr Arlywyddiaeth yn un naw un chwech roedd hi cyn glosied bob tipyn ag ydi hi eleni. Yn wir fe aeth Charles Evans Hughes adref o'r cyfrif yn credu ei fod wedi ennill yr Arlywyddiaeth. Yn anffodus daeth blychaid arall o bleidleisiau i'r golwg a dim ond wedi cyfri'r rheiny y cyhoeddwyd mai Woodrow Wilson, y Democrat, oedd yn fuddugol. A olygodd mai fo ac nid Charles Evans Hughes oedd yn cynrychioli America yng Nghynhadledd Versaille ar ddiwedd y rhyfel cyntaf yng nghwmni'r Cymro Cymraeg, Billy Hughes o Awstralia a'r Cymro Cymraeg David Lloyd George.

Ond ddaeth gyrfa bachgen y teulu o Fôn ddim i ben. Mi ddaeth yn Llywodraethwr Efrog Newydd, yn aelod o'r Uchel Lys, yn Uchel Farnwr Unol Daleithiau America. Bu farw yn un naw pedwar wyth.

Ac mi ddaw hyn â mi at y flwyddyn cynt, un naw pedwar saith, ac at Geoff Charles. Ddechrau'r wythnos mi es i efo hen gydweithiwr, Dyfed Evans, i ymweld â Geoff, sy'n swatio mewn cartref ar gyrion y Rhyl, wedi troi ei ddeg a phedwar ugain a llwyr golli ei olwg. Fe drafaelion ni'n dau filoedd o filltiroedd Cymru, Geoff a'i gamera a minnau ar ran *Y Cymro*. A'n prif sgwrs y Llun diwethaf oedd atgof am y siwrnai newyddiadurol honno yn ôl o dde Cymru i Groesoswallt yn un naw pedwar saith.

Roedd hi'n dywydd mawr, yn wir yn fwy o dywydd nag oeddan ni wedi bargeinio amdano. Achos wedi i ni gyrraedd cyffiniau Caersŵs roedd y ffordd fawr wedi diflannu wedi i afon Hafren dorri tros ei thorlannau a'r caeau yn foroedd. O drugaredd, mi wyddai Geoff am bob modfedd o Faldwyn a thrwy ddyrys daith a olygodd yrru trwy ddŵr dyfn ym Meifod, fe lwyddon i gyrraedd pen y daith.

Ond roedd y llifeiriant yng nghanolbarth Cymru bryd hynny yn waeth na'r un presennol a dim ond badau glanio, hen rai y fyddin o Amwythig a fedrai fynd ar fôr a thir, fedrai gyrraedd y ffermdai a ynyswyd pan gododd yr afon gyda'r fath sydynrwydd.

Cofio gweld un o'r hen fadau achubol hynny ymhen blynyddoedd wedyn yng Nghaernarfon pan gychwynnodd y cyfnewidiol Bill Parry mewn un am Awstralia o bob man – heb fedru mynd ymhellach na Dinas Dinlle gyfagos.

Ac at John Charles y mae symudiad i gael ei urddo'n

farchog. I mi, a fu'n gymydog agos iddo yn Rhiwbeina, nid un o bêl-droedwyr mwyaf Cymru ydi John Charles ond y mwyaf a welodd y byd. Bu eraill â'u mawr fedrau ond dim ond gan John Charles roedd yr *holl* fedrau – gyda'i dalcen a'i draed, yn ymosodwr a sgoriwr, yn llew o amddiffynnwr, yn oen o addfwyn, yn eliffant o gryf. Fedrai Pele ddim gwneud popeth fedrai John Charles ei wneud, ac nid marchog ar faes y bêl-droed oedd o ond y brenin ei hun.

Ysywaeth, *galar* am farchog colledig, yr hoffus Syr Alun Talfan Davies – bargyfreithiwr, cymwynaswr i'n diwylliant yn y Brifwyl, ynghyd â Llyfrau'r Dryw a'r cylchgrawn clodwiw, *Barn*.

JEFFERSON
20 Ionawr 2001

Mae'r sôn yn dechrau o ddifrif, y sŵn ym mrig y morwydd am yr Etholiad Cyffredinol sy'n nesáu ac, ar y funud, y trydydd o Fai yn ddyddiad tebygol. Fe geisiwyd dod ag un o elfennau'r etholiad Americanaidd yn newyddbeth yn yr halibalŵ y tro yma – sef cael arweinyddion y pleidiau yng ngyddfau ei gilydd mewn syrcas deledu. Ond mi gawn ein harbed rhag hynny.

A'r penwythnos yma daw stori aflêr etholiad America i ben pan orseddir, yn anhaeddiannol fe haerir, George W. Bush yn drydydd arlywydd a deugain y wlad ac y ffarwelir â William Jefferson Clinton. Ac am ei enw canol, Jefferson, a'r cysylltiadau Cymreig yr ydw i am sôn heddiw am ei fod o'n rhan o'n diddanwch darganfod

117

hen nain neu rywun yng Ngarndolbenmaen neu rywle i fawrion Americanaidd.

A'r noson o'r blaen mi fûm i'n gwrando ar ddarlith ysgolheigaidd gan Iolo Llewelyn, cymydog i mi, a aned yn Utica lle'r oedd ei dad yn weinidog cyn i'r teulu ddychwelyd i Gymru. Ei destun oedd Thomas Jefferson, trydydd arlywydd Unol Daleithiau America yr haerir fod ganddo yntau wreiddiau Cymreig. Ac yn wir, ychydig o flynyddoedd yn ôl fe osodod Cymry America gofeb ar gwr Llyn Llanberis wrth odre'r Wyddfa i ddathlu hynny.

Ni ymhelaethodd y darlithydd ar gysylltiadau Cymreig yr Arlywydd dawnus ac ysgolheigaidd hwn a fu'n bennaf cyfrifol am lunio Datganiad Annibyniaeth enwog America, ond yr oedd wedi ymweld â'r tŷ rhyfeddol, Montecello, a gododd Thomas Jefferson iddo'i hun ac sy'n dal ar ei draed yn nhalaith Virginia yn ogystal â darlun ohono ar un o ddarnau arian y wlad. Ond yr hyn a roes hwb i fy chwilfrydedd i oedd pa dystiolaeth sydd yna fod teulu'r Arlywydd yn hanu o Gymru? Roedd mor niwlog nes gwneud i mi feddwl tybed a gymysgwyd dau Jefferson Americanaidd mawr yn fwriadol neu'n anfwriadol?

Achos mi fu yna Jefferson amlwg arall yn arweinydd Americanaidd gryn drigain mlynedd yn ddiweddarach, sef Jefferson Davies – neu Davis. Mae hwnnw'n ddiamwys Gymreig ei gefndir. Fe'i ganed ar blanhigfa yn nhalaith Georgia, ond ei hen daid Morgan David neu Dafydd yn frodor o Lanilltud Faerdref, ac yr oedd ei briod hefyd o dras Gymreig. A dyma'r gŵr a heriodd Lincoln am y credai ei fod o gyda thaleithiau gogleddol America am arglwyddiaethu ar daleithiau'r de gan danseilio'u heconomi, oedd wedi ei helaeth sefydlu ar gaethwasiaeth.

A Jefferson Davies, a oedd hefyd yn gadfridog, a awdurdododd i'r ergyd gyntaf gael ei thanio yn y Rhyfel Cartref a rwygodd America am bedair blynedd o un wyth chwe un ymlaen pan fu'r Jefferson yma'n Arlywydd taleithiau'r de. Ac wedi colli'r dydd fe'i daliwyd a'i gyhuddo o deyrnfradwriaeth a'i garcharu. Ond ni chafodd ei erlyn ac fe'i rhyddhawyd ymhen dwy flynedd pan ymfudodd i Ganada. Ond dychwelodd a bu farw yn New Orleans yn un wyth wyth naw.

A dyna paham yr holais innau fy hunan, tybed a gymysgwyd Thomas Jefferson a Jefferson Davies, yr hyn oedd yn annhebygol. Ble felly y tarddodd y stori fod teulu Thomas Jefferson yn dod o odre'r Wyddfa a'i fod wedi enwi un o stadau ei deulu yn Snowdon? Ond wele'r goleuni, hynny sydd yna, yn dod i mi o Bwllheli. Yno mae W. Arvon Roberts yn bostmon sydd wedi'i drwytho'i hun yn hanes yr Americanwyr. Ac yn ddi-lol dyma fo'n fy nghyfeirio at ddyddiadur yn llaw Thomas Jefferson ei hun lle dywed i'w hynafiaid ddod o odre'r Wyddfa – a alwodd y mynydd uchaf ym Mhrydain – a'i fod wedi enwi un o diroedd ei deulu yn Snowdon.

A diolch i'r postman ymchwilgar, dyma'r cyfan y medrir ei ddweud am gysylltiadau Cymreig yr Arlywydd enwog. A diolch hefyd fod y postman dyfal wedi cyflwyno ffrwyth ei holl astudiaeth i ddiogelwch y Llyfrgell Genedlaethol.

CHWYLDRO
3 Chwefror 2001

Fe wawriodd bore Iau cyn ddued â'r frân. Cymru'n gorfod gwrando ar y cyhoeddiad bod y chwyldro diwydiannol a welodd George Borrow yn cychwyn yn ffrydiau o uffern dân ffwrneisiau Dowlais a Merthyr yn dirwyn i ben. Y pyllau glo a ddifwynodd y Cymoedd wedi hen gau a'r ffwrneisi fu mor boeth wedi oeri. A'r gweithwyr a drawsnewidiodd Went a Morgannwg a Gogledd-ddwyrain Cymru'n dal i gael eu trin fel dim ond pypedau i gyfoethogi'r meistri. Pa feddwl, pa 'madrodd, pa ddawn – pa dafod all osod i mas y difrod a'r dioddef a fu heb adael dim ar ôl ond mewnfudwyr a Saesneg.

Yn awr tair mil o weithwyr dur Cymru, sydd gyda'r goreuon, ar y clwt a'u diwydiant yn diflannu. Colli mil a thri chant o waith mawr Llan-wern sy'n stopio cynhyrchu dur er y cedwir un felin. Wyth gant yn ffarwelio â'r dur am byth yng Nglynebwy lle collwyd y miloedd eisoes. Tros gant yn segur yng Ngorseinon a thri chant, chwarter gweithwyr gwaith dur ola'r gogledd, Shotton, yn ymadael. Ond Port Talbot gyda chwarter y rhai fu yno gynt yn ddihangol hyd yn hyn. A'r pris am y preifateiddio yn cael ei dalu.

Ac yn ddiymadferth fe symuda i o'r chwyldro diwydiannol at yr un diwylliannol ac at ymateb sylweddol Dafydd Glyn Jones i stori sefydlu'r colegau Cymreig a hanes can mlynedd Prifysgol Cymru. Hanes sydd mewn tair cyfrol o Wasg Prifysgol Cymru am bum punt ar hugain yr un. Y ddwy gyntaf gan J. Gwyn

Williams a fu'n Is-brifathro ym Mangor a'r drydedd gan Prys Morgan, brawd y Prif Weinidog, Rhodri.

Campwaith o adolygiad difyr – direidus ar brydiau – gan Dafydd Glyn Jones, sy'n gwella o anhwylder ac sydd gyda'r disgleiriaf ac yn sicr y mwyaf gwreiddiol o'n hysgolheigion, a aberthodd ran werthfawr o'i oes yn helpu i gwblhau geiriadur mawr defnyddiol yr Academi. Y cyfraniad yn y *Traethodydd*, a sefydlwyd yn un wyth pedwar pump gyda chefnogaeth Thomas Gee, yn gyhoeddiad mwy uchel-ael na'r cyffredin dan olygiaeth Lewis Edwards a Roger Edwards a olynwyd gan Owen Thomas, hen daid Saunders Lewis, ac a erys yn uchel-ael dan olygiaeth Brinley F. Roberts.

Fedra i ddim gwneud mwy na thynnu sylw at bymtheg tudalen gampweithiol Dafydd Glyn sy'n uchel ei glod i lafur y ddau hanesydd ac yn cadarn ddadansoddi cyfraniad y Brifysgol a'i natur ffederal. Yr unig Brifysgol ym Mhrydain â'i cholegau ar chwâl; mae'r tair Prifysgol ffederal arall â'u colegau mewn dinasoedd – Rhydychen, Caergrawnt, Llundain.

Sefydliad y medrid ei gyffelybu i lygoden a esgorodd ar fynydd ydi Prifysgol Cymru, a fedra i wneud dim mwy na dyfynnu rhai ffeithiau o'r adolygiad.

Fel enghraiifft, yn un naw tri wyth pan oeddwn i'n digwydd bod yn Llywydd y Myfyrwyr ym Mangor, naw y cant o'r myfyrwyr ddaeth yno o'r tu allan i Gymru – mwy nag yn y tri choleg arall. Rhyw wyth y cant ddaeth i Aberystwyth, tri y cant i Gaerdydd a dim ond un myfyriwr i Abertawe.

Bryd hynny rhyw wyth gant o fyfyrwyr oedd ym Mangor ac wyth deg y cant yn dod o hen sir Gaernarfon.

Bellach mae tros wyth mil yno a phrin bum cant yn Gymry Cymraeg, sy'n awgrym o'r chwyldro a fu ac o'r anhawster, onid yr amhosibilrwydd, i ddad-wneud y sefyllfa heb sôn am sefydlu Coleg Cymraeg. Problem nad yw'r llywodraethwyr fel pe'n sylweddoli ei bodolaeth.

A chic gan Dafydd Glyn i'r integreiddio a fu trwy ddarlunio uno'r Coleg Normal a Choleg y Brifysgol Bangor fel priodas mul a cheffyl – heb fanylu p'run yw'r mul. Sy'n gic mul yn wir. A bu'n rhaid iddo gydnabod hyn, 'Yr ydym wedi colli brwydr y Gymraeg yn y Brifysgol, a'i cholli'n racs oherwydd difrawder.' Nid ei fod wedi llwyr ddigalonni am dynged y geiniog brin a aeth i godi'r coleg amser maith yn ôl.

A bydd yn rhaid disgwyl am gyfrol ychwanegol i gynnwys hanes y bwriad hwnnw i uno'r Adran Gyfathrebu ddaeth o'r Coleg Normal â'r Adran Gymraeg ym Mangor, ynghyd â hanes yr oedi anesgusodol cyn penodi Athro Cymraeg newydd i olynu Gwyn Thomas. Ond wedi deng mis o'r oedi penodwyd o'r diwedd Dr Branwen Jarvis, fu'n bennaeth ar yr adran, yn Athro Cymraeg newydd. A lwc dda iddi hi, a addawodd na chlywir mwy o sôn am uno'r Gymraeg ag adran arall.

ERGYDION
24 Chwefror 2001

Yn ystod yr wythnos, dwy ergyd fawr i Gymru, y naill ar ôl y llall. Y gyntaf, fel pe na bai ein hamaethwyr a'n cefn gwlad wedi dioddef digon, bygythiad gan y gyda'r erchyllaf o bob pla – clwy'r traed a'r genau. Ar y funud dyw'r pla ei hun ddim yn fwy na bygythiad i Gymru, ond mae ei fodolaeth yn Lloegr wedi creu anhrefn annisgwyliadwy trwy'r holl ddiwydiant. Gobeithiwn am y gorau.

A'r ail ergyd, colli un a fu unwaith yn Weinidog Amaethyddiaeth Prydain – yr Arglwydd Cledwyn yn wyth deg pedair – cyfreithiwr a chawr pwyllog. Er pan enillodd sedd Môn tros Lafur yn un naw pump un bu'n Aelod Seneddol tros yr ynys am saith mlynedd ar hugain gan haeddu, oherwydd ei gymwynasau a'i unplygrwydd, y teitl yr Aelod Tros Gymru.

Bu'n Weinidog Trefedigaethau pan oedd Rhodesia yn troi'n Zimbabwe a phroblem apartheid yn dal i lygru De Affrica. Ac ef oedd yr Ysgrifennydd gweithgar tros Gymru pan fu trychineb fawr Aber-fan, fel y cofiaf yn dda.

Gwelodd ddarlun gwleidyddol Cymru'n newid cryn dipyn. Gwelodd Lafur yn ennill pedair sedd Gwynedd cyn eu colli, ac yr oedd ei dad, y Parchedig H. D. Hughes, a fu cyhyd yn weinidog gyda'r Hen Gorff yng Nghaergybi, yn un o hen chwarelwyr Dinorwig ac yn un o'r Rhyddfrydwyr Lloyd George tanllyd olaf, ac nid ar chwarae bach yr ymladdodd Cledwyn deirgwaith cyn ennill yn erbyn eilun ei dad – Megan Lloyd George. Nid â gweledigaethau ac enillion a hawddgarwch Cledwyn byth yn angof.

Bu'n gefn i bob achos Cymraeg o bwys, yn fawr genfogwr y datganoli, y Ddeddf Iaith ac S4C, ac heb anghofio gwreiddiau ei dad pan fu'n bennaf cyfrifol am bryniant cyfran fawr o'r Wyddfa i'r genedl. Am ddeng mlynedd ef oedd arweinydd Llafur yn Nhŷ'r Arglwyddi, ac os am gofnod taclus o'i fywyd gweler *Yr Arglwydd Cledwyn*, cyfrol Emyr Price.

Ond mae gennym ni'n problemau anodd ar ôl yng Nghymru o hyd, a phroblem y mewnfudwyr a'r datganiad am yr effeithiau gan Seimon Glyn wedi gwreichioni trwy'r cyfryngau a sgriblwyr gwasg Lloegr wedi bedyddio Seimon yn apostol hiliaeth.

Ond cyn dweud hanner gair am honedig hiliaeth Cymry gadewch i ni dynnu sylw'r sgriblwyr yma at yr hyn sy'n mynd rhagddo naill du i'r sianel – rhwng Lloegr a Ffrainc – lle mae byddin o warchodwyr swyddogol yn tynnu'r ewinedd o'r blew wrth geisio stopio mewnfudwyr o Ewrop rhag glanio o gwbl yn Lloegr. A does yna neb yn galw'r gwarchodwyr yna'n hiliol. Wna innau mo'u beirniadu. Os ydyn nhw'n credu fod y mewnfudwyr yma'n fygythiad diwylliannol neu economaidd i gymdeithas Lloegr mae ganddyn nhw dir dan eu traed. Mae'n iawn i drigolion Lloegr warchod eu hetifeddiaeth, fel y mae'n iawn i ninnau wneud yr un peth, os yn llai haearnaidd.

Fedra i ddim dweud a ddefnyddiodd Seimon Glyn eiriau rhy gryfion ai peidio wrth ddarlunio sefyllfa y mae'n ei hadnabod mor dda yn Llŷn. Dydi o ddim wedi bod yn rhy eglur bob amser, sydd wedi achosi ymatebion gwahanol gan aelodau o'i blaid ei hun, Plaid Cymru, fu'n rhanedig ymboeni mwy am effaith y sylwadaeth ar ganlyniad yr etholiad sydd gerllaw nag ar y broblem ei hun.

A dwedwch a ddwedwch, *mae* yma broblem. A dwedwch a fynnwch dyw'r ateb ddim yn un syml. Ond yr ateb hollol annerbyniol ydi cornelu'r holl ddadl i un ar hiliaeth. Aiff hynny â ni i unman ond at ragfarnau.

Mae yma broblem. Problem sydd nid yn unig ar step drws Cyngor Sir Gwynedd, y mae a wnelo Seimon Glyn â fo, ond sydd ar drothwy'r Cynulliad a'r Senedd hefyd. Ac un sy'n galw am gael ei thrafod yn waraidd a heddychlon yn y wlad.

Ac mi fu yna gwrdd felly, a alwyd gan Gymdeithas yr Iaith, ar gwr maes Caernarfon fore Sadwrn o'r blaen lle cafwyd rhai awgrymiadau defnyddiol, ond ni chroesawodd yr oddeutu tri chant a ddaeth i'r cwrdd y ffaith fod, ar y cyrion, fyddin o blismyn a faniau – deg ar hugain o blismyn wedi eu cyfri a deugain i gyd yn ôl y *Daily Post* ar gyfer cwrdd hollol heddychlon. Ydi hyn yn golygu y bydd yna blismyn yng nghyrddau pleidiol y lecsiwn hefyd? Ynteu gorymateb anneallus a welwyd.

Ond mae yna anawsterau. Mi fedrwch werthu tŷ neu fferm yn Lloegr am ddwbl cost bargen gyffelyb yng nghefn gwlad Cymru, lle mae harddwch môr a mynydd yn denu. A medr dinesydd Prydeinig fyw a gweithio ble mynn. Sut mae rheoli heb gyfyngu a sut mae sicrhau y bydd yna reoli o gwbl? Ble mae'r amddiffynfa? Ar y funud dim ond ar yr ysgol gynradd a'r athrawon y medrwn ddibynnu'n obeithiol – sy'n gofyn llawer ganddyn nhw. Un peth sy'n sicr, os ydi'r mewnlifiad yma i barhau fydd yna ddim ond lle buo ni.

CANEUON FFYDD
3 Mawrth 2001

Ar wythnos Ŵyl Ddewi genedlaethol argyfyngys i gefn gwlad Cymru gyda'r eira a'r ddamwain ffordd ar ben y felltith olaf, pla'r traed a'r genau – yr ergyd drymaf – fedra i wneud dim ond cyd-ofidio. A rhag ychwanegu at ddoethinebu a thrallodion mi gefna i ar y bydol a mentro at yr ysbrydol – at *Caneuon Ffydd*, y gyfrol oludog gydenwadol newydd. Dim dawn nac amser i'w hadolygu dim ond i gyflwyno rhai o argraffiadau'r hanner pagan yma.

Y peth cyntaf wnes i oedd pwyso'r gyfrol traed brain anhylaw – yr hen nodiant – a'i chael yn dri phwys a hanner, pwysau hanner bricsen.

Ddyweda i ddim am y toreth o'r emynau a'r tonau cyfoes ar wahân i roi rhaff i fy rhagfarnau ac awgrymu y medrem wneud efo ychydig llai ohonyn nhw.

Yn naturiol, Pantycelyn sydd ar y blaen gydag wyth a phedwar ugain o emynau, Elfed yn ail gyda hanner hynny. Yn *Perlau Moliant* un naw dau wyth yr Undodiaid does gan Williams ddim ond pedwar emyn ar bymtheg ond mae gan Iolo Morganwg bedwar a thrigain – ond dim un yn *Caneuon Ffydd*. Un pennill yn unig gan Ann Griffiths yn y *Perlau*.

Siomiant i mi oedd y modd yr ymunodd golygyddion y *Caneuon* i gefnu ar dafodiaith Williams, ac yn arbennig arddel y gair llenyddol 'maes' nad yw'n arferadwy na byth yn odli yn lle 'mas' y Pêr Ganiedydd. A dyw ei Dere am Tyred ddim yma chwaith gan golli'r hyfryd 'Gosod babell yn ngwlad Gosen / Dere Arglwydd yno d'hun'. A phan gyhoeddodd Kilsby Jones holl weithiau Williams yn un wyth chwe saith cadwodd holl dafodiaith yr emynau.

Ond mawr ganmoliaeth i'r gyfrol newydd am y cyflwyniad gorau a chywiraf o waith Ann Griffiths a welwyd mewn unrhyw lyfr emynau. A hyfrydwch oedd gweld yr alaw 'Rwy'n Caru Merch o Blwy Penderyn' ar emyn Ann sy'n cynnwys 'Pan fo Seina i gyd yn mygu', fel yn *Emynau'r Llan*. A rhaid diolch am y syniad i'r athrylith David Thomas, taid yr angerddol Angharad.

Diolch i esgeulustod pobol fel Morris Davies, a fedrodd gyfweld Ruth, morwyn Ann Griffiths – fyddai'n canu'r emynau gyda hi i weld a oedd y geiriau yn gweddu – heb ei holi ar ba alawon, mae'r mater yn parhau'n ddirgelwch, ond fe awgrymodd David Thomas fod y pennill hynod glonciog – a defnyddio'r gair – 'Pan fo Seina i gyd yn mygu' yn canu'n esmwyth ddigon ar alaw Penderyn y buasai Ann yn debygol o'i gwybod. A bu argraffiad Gregynog o'i hemynau o help mawr i'r gyfrol newydd.

Lle na cheir yr hen briodas rhwng tôn ac emyn ydi pan roddir geiriau anghyfarwydd i'r alaw Gymreig, Jabez yn lle 'O Arglwydd Dduw rhagluniaeth' a ganai chwarelwyr Bethesda yn y Streic Fawr. A syfrdandod gweld yr emyn poblogaidd 'I bob un sy'n ffyddlon' heb ei gysylltu â Rachie nac yn y gyfrol o gwbwl. A biti na chafodd John Williams Bro Morgannwg fwy o'i emynau gyda'u dechreuadau mawr cwestiyngar: 'Pa feddwl, pa 'madrodd, pa ddawn'. Ble'r aeth 'Beth yw'r utgorn glywai'n seinio' a 'Pwy welaf o Edom yn dod / Mil harddach na thoriad y wawr'?

Aed ati o ddifrif hefyd i ymlid o'r gyfrol bopeth y

gallesid heddiw ei ystyried yn hiliol. Dim 'golchi Magdalen yn ddisglair', na 'Manase ddu yn wyn'. Dim 'Doed yr Indiaid, doed Barbariaid, / Doed y negro du yn llu'. Dim 'Pan glywo'r Indiaid draw am loes / Creawdwr nefoedd ar y groes'.

Cadwyd hen benillion fel 'Dyma Feibl annwyl Iesu' a 'Y gŵr a fu gynt o dan hoelion', Huw Derfel, a genir ar bob Steddfod y Groglith yn Llandderfel. 'Cyfamod Hedd', Edward Jones, – emyn a wefreiddiodd eisteddfodwyr ar ddyddiau'r coroni gynt – ddim yma ar Navarre. Eto, da gweld 'I Galfaria trof fy wyneb', Dyfed, yma, os collwyd 'I'r Arglwydd cenwch lafar glod', Edmwnd Prys, ar yr Hen Ganfed.

Ac un hen dôn na welwyd fawr ohoni wedi cyfrol y Bedyddwyr un wyth naw deg yn cael atgyfodiad, ond ar eiriau anghyfarwydd – sef 'Andalusia' gan William Roberts o Ddyffryn Ogwen. Bu'n ddirgelwch pam y galwyd y dôn â'r enw Sbaenaidd nes i Ernest Roberts ei ddatrys. Roedd William Roberts yn ofalwr am geffylau – ostler – yn Nhy'n y Maes, ar frig y dyffryn, yn y dyddiau pan âi'r goits fawr heibio am Gaergybi, ac enw ar frid o geffylau oedd Andalusia. Ysywaeth, chenir mohoni yma ar eiriau traddodiadol Ieuan Glan Geirionydd: 'O Dduw rho im dy hedd a golwg ar dy wedd'. Hen dro.

MWY AM EMYN
10 Mawrth 2001

Cyfeiriad bach at ddau ddigwyddiad mawr yr wythnos. Y clwy, a dim ond gweddïo ei fod wedi cyrraedd ei waethaf. A'r testun llai dirdynnol – y Gyllideb. Un anarferol ar drothwy etholiad – un amddifad o syfrdandod a thorri trethi.

Dau berson y newyddion, Anne Robinson a Seimon Glyn. Y naill yn cael ei chymeradwyo wrth ddamnio bodolaeth y Cymry a'u hiaith a chael y fraint o ailadrodd ei rhagfarnau ar goedd. A'r llall yn cael ei ddamnio am hiliaeth wedi tynnu sylw at Saeson sy'n bygwth bodolaeth y Cymry a'u hiaith.

Ac yr ydw innau am gwblhau fy nhipyn sylwadaeth ar y *Caneuon Ffydd* cydenwadol. Wedi gorchest emynwyr cynnar y Diwygiad Methodistaidd fe ddiffoddodd fflamau angerddol o dân Williams ac fe sychodd ffrydiau'r iachawdwriaeth fawr Ann Griffiths gyda'n hemynwyr blaenaf yn prinhau o ganrif i ganrif. Erbyn y bedwaredd ganrif ar bymtheg, er gwaetha'i chyffroadau mawr, chafwyd mo'r emynau mawr. A dau o'i beirdd mwyaf poblogaidd, Mynyddog a Cheiriog, heb ond un emyn yn y *Caneuon Ffydd* gan y naill a dim un gan y llall, er bod 'Rwy'n llefain o'r anialwch / Am byrth fy ninas wiw', Ceiriog yn haeddu ystyriaeth.

Ac o ystyried dau o feirdd mwyaf poblogaidd yr ugeinfed ganrif, Crwys a Chynan, dim ond tri emyn rhwng y ddau yn y gyfrol. Lle ceir dau emyn gan Waldo, un gan Parry-Williams a dim un gan Williams Parry na Saunders Lewis.

Ac, i bwysleisio fy mhlwyfoldeb, rydw i am sôn am

129

dynged emynwyr Eifionydd, fy ngenedigol wlad.
Chafodd yr un ohonyn nhw cyn gymaint yn y llyfr
newydd â'r wyth gan Eifion Wyn – a hyderaf na welir un
o'n dirmygwyr yn cyfri 'Cofia'n gwlad, Benllywydd
tirion' yn hiliol.

Cafodd Robert ap Gwilym Ddu le i dri – a Nicander a
osododd y Salmau ar gân. Dau i Eben Fardd a dim un i
Dewi na Siôn Wyn. Ond am yr un a gafodd saith yr ydw i
am sôn – un o emynwyr praffaf ei ganrif, Pedr Fardd, yr
oeddem ni'r hen blant yn gorfod dysgu ei 'Cysegrwn
flaenffrwyth ddyddiau'n hoes' heb affliw o syniad beth
oedd hynny'n ei feddwl. Gair neu ddau felly ar ddau o'i
emynau mawr.

Un, 'Cyn llunio'r byd, cyn lledu'r nefoedd wen', y
mae'r *Caneuon* yn cynnwys ei bedwar pennill gwreiddiol
yn lle y tri arferol. A chynnwys y pennill ychwanegol yn
drydydd yn mawr ddrygu'r emyn sy'n gampwaith
cyflawn hebddo. Mae'r cyfeiriad ar *'ledu'*r nefoedd wen'
yn yr emyn Calfinaidd yma wedi fy hir swyno. Ar y fferm
erstalwm pan fyddai'r das ŷd ar ei hanner byddai un ar
bob cornel i darpwlin yn ei godi trosti i'w gwarchod rhag
y glaw cyn ei chwblhau a'i thoi. I *ledu* trosti fel y lledwyd
nefoedd wen Pedr Fardd.

Ac ystyriwch y 'fe drefnwyd ffordd', (cyn bod y gair
strategaeth) yn y pennill cyntaf. Cofio I. B. Griffith yn
dyfynnu un o'r hen hoelion wyth yn profi mai Cymro
oedd Duw am mai y peth cyntaf un a wnaeth oedd galw
pwyllgor a hwnnw'n un o dri na fedrai anghytuno. 'Ac
felly y trefnwyd ffordd yn enw tri yn un / I achub gwael
golledig, euog ddyn'.

A chofio hen ffrind colledig arall, Gwilym O. Roberts,

yn ymhelaethu ar y gair 'Trysorwyd' yn yr ail bennill: 'Trysorwyd Gras, rhyw annherfynol stôr / Yn Iesu Grist', sef (yn ôl Gwilym) gosod y trysor pennaf yn y man diogelaf, sef y drysorfa. Cadw'r gras – ac ystyr gras i'w gael yn y Groeg am rodd. Ac, yn stori'r Beibl, lleolid y drysorfa yn yr ystafell na fedrid mynd iddi ond trwy ystafelloedd y gordderchwragedd a warchodid gan yr eunuchiaid. Lle diogel tros ben.

Ac wedi holl gynllunio'r pennill cyntaf a'r gweithredu yn yr ail wele gadwedigaeth dyn wedi ei gwblhau. A'r ddau bennill heb gynghanedd. Ond y pennill ola'n dathlu'r gamp gyda haleliwia orfoleddus cynghanedd lawn lle mae popeth mewn tiwn, 'Mae'r utgorn mawr yn seinio'n awr i ni'.

A dyma rywbeth bach a'm mawr boenodd i. Mae emyn mawr arall Pedr Fardd, 'Daeth ffrydiau melys iawn' wedi ei gynganeddu i gyd *ond* 'Caed balm o archoll ddofn / y bicell fain' ar ôl 'Yn rawnwin ar y groes / fe droes y drain'. Ond mi welais i'r ddwy linell yn gynganeddol fel hyn: 'Daeth balm o archoll hell / y fwyell fain' ac o *flaen* 'yn rawnwin ar y groes'. Ac mi fethais, er cael help mawrion fel Syr Thomas Parry a Derwyn Jones, i olrhain ble'n union y gwelais y ddwy linell sydd wedi eu newid yn y gyfrol brin o emynau Pedr Fardd ei hun i'r hyn a welir yn *Caneuon Ffydd*. Fedr rhywun helpu?

YR ANFADWAITH
17 Mawrth 2001

Waeth pa mor bell yr olrheiniwch fy nheulu i, ewch ar ôl achau pob taid a nain cyn belled ag y medrwch ac fe gewch mai teulu fferm ydyn nhw i gyd. Ac, er y bu yna chwech ohonom ni'r plant ar yr aelwyd gartre, bellach mae yna un yng Nghanada, un yn Awstralia, dau yn Lloegr a dim ond y fi ar ôl yng Nghymru, a dim un ohonon ni fedr ddweud am ddarn o dir y meddwn ni led troed ohono fwy nag sydd gennym ni rhyngom na dafad na chi, er mai yng Nghwm Pennant y magwyd fy nhad.

Fy mrawd addfwyn colledig, Llifon, ar fferm Cwmcoryn yng ngolwg yr Eifl oedd yr olaf o'r teulu i amaethu. Cofio treulio cyfran o 'ngwyliau blynyddol yn ei helpu yn y cynhaeaf gwair. A chofio ar derfyn un o'r rheini roi'r cwestiwn yma iddo fo, 'Yli, Llifon, dyma ni wedi cael dwy fil a phum cant o fyrna i'r tŷ gwair leni eto. Ar y funud mi gaet bunt yr un amdanyn nhw heb orfod gneud mwy na deud eu bod ar werth. A dyna ddwy fil a hanner o bunna yn dy boced. Deud i mi, o gadw'r byrna yma i fwydo'r gwartheg trwy'r gaea, wyt ti'n debyg o neud proffid o ddwy fil a hanner o bunna pan ddaw'n wanwyn?' A dyma fo'n atab yn syth bin, 'Nag ydw.' 'Felly,' meddwn i, 'pam na werthi di'r lot?' A dyma'r ateb 'A be fydda gen i i'w neud wedyn?' A doedd gen i ddim ateb.

Achos nid busnes fu ffermio i'r amaethwr Cymreig ond galwedigaeth. Yr oedd yna ymlyniad diymwad wrth dir a daear ac anifail, ac yr oedd yna falchder hefyd. Ac os oedd yr ymlyniad yn cadw'i ben roedd hynny, bryd hynny, yn ddigon o dâl.

Ar ben hyn roedd yr amaethwyr yn gymdeithas hollol ar wahân. Bellach, doedd yna ddim ymgynnull ar ddiwrnod dyrnu neu amser cneifio, ond yr oedd y gymdogaeth dda yn dal i ffynnu. Os oedd angen help, roedd ar gael. A phan aeth Llifon yn wael a minnau wedi riteirio ac yn ceisio hanner gofalu orau medrwn i am y fferm a'r anifeiliaid, a'r gofal hwnnw'n un difrifol o wan a dibrofiad, yr oedd yna bob amser gymydog wrth law gyda'i gyngor a'i amser.

Ac yn awr yn y bröydd a ddamniwyd gan glwy'r traed a'r genau sy'n mynd o ddrwg i waeth, mae'r ymlyniad sydd rhwng ffermwr a ffermwr yna o hyd er gwaetha'r arswyd sydd yn y cefndir a'r ymwybyddiaeth fod y stoc a gymerodd oes i'w sefydlu yn un a allasai droi'n ddim ond mwg a lludw fory nesaf. Eto purion ydi cofio, yn wyneb pob caledi – y sydd neu eto ddaw – y bydd y tir yn aros yno am byth i rywrai ei drin.

Yr unig drin tir rydw i'n ei wneud bellach ydi cyn lleied â phosib o arddio. Fu gan hogia ffermydd erioed ddiddordeb mewn garddio. Pam ymlafnio mewn rhyw gilcyn o randir a'r holl gaeau cyfain o'ch cwmpas chi'n gwahodd? Ond mae gen i yn y cefn acw ryw fath o berllan ystyfnig o anffrwythlon sydd i fod i gropio'n amgenach nag un ar dir caregog Eifionydd, ond dydi hi ddim yn gwneud.

Ac yn y ffrynt mae gen i bwt graeanog ac ychydig flodau – ychydig iawn o'r ychydig iawn o flodau rydw i'n eu hadnabod. Dant y llew ydi'r un mwyaf llwyddiannus ac mae yno ddaffodil i fod, ond y llynedd oedd yr unig dro erioed i'r un ohonyn nhw flodeuo erbyn Gŵyl Ddewi. Lwcus os gwela i un erbyn Ffŵl Ebrill eleni. A *doedd* hi'n Ŵyl Ddewi dawel y tro yma – y fwyaf fflat i mi ei phrofi erioed. Y clwy ac Anne Robinson rhyngddyn nhw wedi gwenwyno popeth.

Ond mae gen i, os nad fyrdd o ryfeddodau, o leiaf dusw bach tlws o eirlysiau yn llercian yng nghysgod y gwrych i roi'r hynny o liw sydd yna yn yr ardd acw ar y funud. Oll yn eu gynau gwynion ac ar eu newydd wedd, fel roeddan nhw yn *Cerddi Cynan* ond ddim yn y *Caneuon Ffydd* trymlwythog na saif ar biano.

A rhywbeth am y clwy a'm synnodd i. Sef, nid clwy'r traed a'r genau ydi'r hen enw arno fo yng nghrombil sir Ddinbych ond clwy'r cloffni a'r slefr. Mae'r ffaith fod yr enw Cymraeg arferadwy yna, ac nid y trosiad cynefin o'r Saesneg, yn awgrymu nad ydi'r anfadwch wedi bod mor ddiarth a hynny. Ar ben hyn roedd gan y ffermwyr ryw fath o feddyginiaeth ar gyfer y clwy sydd ddim yn un angheuol prun bynnag, Biti na chaem ni un dos ohono fasai'n rhoi terfyn arno fo am byth, yntê?

MEWNFUDWYR
2 Mehefin 2001

Roedd y prynhawn Llun cymylog diwethaf yn un a gynhesodd beth ar fy nghalon i. Roedd fy chwaer Mai o grombil Lloegr a fy chwaer Prydwen o wastadedd Ontario, Canada, wedi dychwelyd gyda'u Cymraeg i aros am ychydig ddyddiau ynghyd yng Nghricieth er mwyn cael cip hiraethlon ar hen lwybrau bro eu mebyd yn Eifionydd – ac i gael ymweld â'u brawd mawr. A dyma'r tro cyntaf ers mwy na hanner can mlynedd i ni'n tri lwyddo i ddod i gwmni'n gilydd – yn dri o weddwon.

A doedd yr hyn welson nhw fel mewnfudwyr byrhoedlog yn eu henfro wedi codi fawr ar eu calonnau. Gormod o hen ffrindiau ysgol yn fud yn y mynwentydd neu ar chwâl. Cenhedlaeth newydd a'r Saesneg wedi cyrraedd hyd yn oed yr aelwyd lle magwyd nhw ynghyd ag i lu o'r ffermydd cylchynnol yn hen blwyf Llangybi, gyda'r amaethwyr mewn argyfwng a'r gwaith yn fwy na phrin yng nghefn gwlad. Roeddan nhw wedi dychwelyd i fyd newydd, diarth yn ymylu ar yr estronol.

Rydw i newydd ddefnyddio'r gair mewnfudwyr. Bu cryn ddefnyddio arno fo yn ymgyrchoedd etholiadol y gwahanol bleidiau ond am yr ymfudwyr i Loegr a'r cyfyngiadau ar eu cyfer nhw yn unig y bu'r sôn. Dim sôn o gwbwl am y gair mewnlifiad i gefn gwlad Cymru heb sôn am y problemau y maen nhw wedi eu creu. Dim nes ymddangosodd, yn esgeulus o hwyr y mis, erthygl yr Arglwydd Prys Davies yn y cylchgrawn clodwiw *Barn* a orfododd y pleidiau i o leiaf gydnabod bod yna broblemau.

Cyn hyn fe dynnodd Seimon Glyn sylw at y bygythiadau gan ennill ymatebion rhagfarnllyd, yn cynnwys geiriau damniol fel hiliaeth. Ond boed eich barn am Seimon Glyn beth bynnag y bo y mae yna ffeithiau diymwad. Mae yna dyrfa wedi symud o Loegr i gefn gwlad Cymru a'i chael, at ei gilydd, yn broffidiol i wneud hynny, ac mae eu hiaith wedi achosi bygythiad i'r hen iaith Gymraeg yn ei chadarnleoedd. Ac mae sut i ddelio â'r broblem heb i'r gair hiliol ddod i'r wyneb yn fater dyrys tros ben. A'r hyn a wnaeth yr Arglwydd Prys

Davies yn *Barn*, gyda meddwl miniog cyfreithiwr, oedd tynnu sylw at y mawr fygythiad a'r mawr broblemau wrth geisio sicrhau'r ateb iddo ond ar yr un pryd y dyletswydd i ymchwilio am yr atebion a'u cael.

Ond rhaid dweud un peth am yr ymateb i'r ysgrif gan y cyfryngau a'i gorsymleiddiodd trwy ddweud mai'r hyn a wna ydi galw am Gomisiwn Barnwrol heb egluro pa bryd. Oherwydd mae gan y Cynulliad, na fuasai mewn bod oni bai am freuddwyd y Cymry Cymraeg, eu hymchwiliad eu hunain ar dro i'r broblem yng nghefn gwlad Cymru sy'n rhoi'r cyfle i Lafur yn arbennig ddadlau fod yr hyn y gelwir amdano yn cael ei wneud eisoes. Ond mae'r Arglwydd wedi cymryd hyn i ystyriaeth a'r hyn y geilw amdano'n glir fel grisial. A dyma fe air am air.

'Onid oes gan y Cynulliad a'i bwyllgor Diwylliant a Hamdden weledigaeth ymarferol am y ffordd ymlaen, ein gobaith yw yr eir ati heb oedi i sefydlu Comisiwn Annibynnol o arbenigwyr dan gadeiryddiaeth Barnwr o'r Uchel Lys. Ei waith fyddai archwilio holl ganlyniadau'r mewnlifiadau diweddar i'r ardaloedd Cymraeg a'r effeithiau ar yr iaith Gymraeg a'r diwylliant a'r gymdeithas a'r peryglon tebygol os pery'r mewnlifiad ar y raddfa bresennol, ac i argymell y mesurau a'r adnoddau ariannol sydd eu heisiau i gwrdd â'r problemau.'

Dyna i chi bennod ac adnod argymhelliad na allasai fod yn decach ac na ddylesid ei anghofio. Ac fe'i cefnogir gan olygydd *Barn* mewn erthygl sy'n manwl ystyried yr holl oblygiadau ac yn pwysleisio ei bod yn rhaid datrys problemau'r iaith waeth pa mor ddyrys ydyn nhw, onide does dim ond tranc ar y gorwel.

Fu'r ymateb i Cefn gan yr ymgeiswyr Seneddol i broblemau'r iaith ddim yn un brwdfrydig. Hyd yma dim ond dau ar bymtheg o'r ymgeiswyr a atebodd eu bod yn barod i ystyried deddfwriaeth i ddelio â phroblem y mewnlifiad. Un ar ddeg o Blaid Cymru, tri o'r Democratiaid, dau Lafur ac un Tori. A'r rhan fwyaf o'r rhain tros Ddeddf Iaith newydd hefyd. Sydd ddim yn lot.

Un peth a'm syfrdanodd oedd gweld yn *Golwg*, Gwilym Owen, y miniocaf a'r mwyaf cydwybodol o'n sylwedyddion, yn datgan nad ydi o am bleidleisio o gwbl yn yr Etholiad. Beth pe bai pawb yn ymatal? Pan gyll y call...

A fy chwaer Prydwen yn dweud wrtha i ei bod ar ffurflen cyfrifiad yng Nghanada wedi medru datgan yn glir mai Cymraes o Gymru oedd hi. Yr hyn na fedra i ei ddatgan yn ffurflen y cyfrifiad yng Nghymru ei hun. Be haru ni deudwch?

CYMUNED
14 Gorffennaf 2001

Pe medrwn i fod mewn dau le ar unwaith mi fuaswn y Sadwrn diwethaf yn gorymdeithio yn un o ryw fil trwy strydoedd Caernarfon a gyda rhyw fwy na phum cant ym Mynytho, Llŷn mewn protest arall.

Protest Caernarfon a gollais – un yn erbyn gweithred meistr Americanaidd yn diswyddo saith a phedwar ugain o'i weithwyr oedd ar streic oherwydd yr amodau gwaith a'r gostyngiad cyflog yn y ffatri ar lan afon Menai a godwyd gan gwmni Ferodo, i gynhyrchu braciau ceir yn bennaf, a lle bu unwaith fil o weithwyr a aeth bellach yn rhyw gant a hanner i'r cwmni newydd. Ac er gwaetha'r picedu gan y streicwyr, rhai ohonyn nhw'n gymdogion agos i mi, fe lwyddodd llu o weithwyr na pherthynai i undeb, ac a alwesid yn fradwyr yn hen streic fawr chwarelwyr y Penrhyn ddechrau'r ganrif, i gadw'r ffatri i fynd.

O gofio i'r perchennog presennol sicrhau rhyw filiwn a phedwar can mil o bunnau, yn ôl y sôn, i helpu i ddiogelu'r gwaith yn y ffatri yn y rhan dlawd yma o Wynedd roedd yna gryn ddiddordeb yn yr anghydfod ac o ymholi, heb gael ateb, beth yn union a ddigwyddodd i'r grant. A thasg i'r Cynulliad ydi ymchwilio i'r dull y rhedwyd y ffatri ac y gwariwyd yr arian.

Ond i'r cwrdd mwy cenedlaethol ei apêl ym Mynytho yn Llŷn yr es i bnawn Sadwrn gan ymuno â'r cannoedd o bobl, yn blant, pobol ifanc a hen, o bob rhan o Gymru a lifodd tua'r hen neuadd a anfarwolodd Williams Parry yn ei englyn, 'Adeiladwyd gan dlodi', i gymeradwyo sefydlu'r gymdeithas newydd Cymuned i chwilio am waredigaeth i'r Gymraeg rhag y mewnlifiad estron a'r diffyg gwaith yng nghefn gwlad Cymru.

O'i ystyried yn gwrdd i godi hwyl a'r galon yr oedd o fel oedfa ddiwygiad a phrawf fod yna beth mwdral o bobol o hyd sy'n ymwybodol o'r etifeddiaeth ac yn ymboeni am ei dyfodol. Ac yn amlygiad digamsyniol hefyd o'r diffyg ffydd sydd yna yng ngwleidyddion pob plaid yng Nghymru, a brofodd cyn y Lecsiwn mor fawr oedd eu consyrn am eu crwyn eu hunain ac mor fach am yr iaith a'r diwylliant Cymraeg. Yn ei chadarnle daeth

Plaid Cymru dan lach, a'r condemniad ar y blaid Lafur yn ddim llai. Mae'n bosibl i rai sylwadau fynd tros ben llestri, yn enwedig y difenwi ar Ieuan Wyn, llywydd newydd Plaid Cymru. O ganlyniad, fel yr ofnais wythnos yn ôl, canolbwyntiodd y wasg nid ar broblem y mewnlifwyr a sylwedd y cwrdd, ond ar eiriau Seimon Glyn yn arbennig, ac ar ymateb posibl iddyn nhw gan Blaid Cymru a dynnai'r sylw oddi wrth amcanion Cymuned a'r gwir broblemau a'u hoelio ar yr anniddigrwydd amlwg sydd yna ymhlith aelodau Plaid Cymru ynglŷn â diymadferthedd ei harweinyddion absennol.

Efallai hefyd y gallesid bod wedi canolbwyntio beth yn fwy ar gynlluniau Cymuned. Cytunir mai diffyg gwaith yng nghefn gwlad ydi un o achosion y problemau – y prif achos yn wir. Ond rhaid wynebu'r broblem o pwy sydd i sicrhau'r gwaith, pa natur a pha bryd. Cwestiynau anodd, ond nid mor anodd â sut mae rhwystro'r mewnlifwyr rhag cyrraedd Cymru.

Ond nid ynglŷn â'r gwleidyddion yn unig mae'r anniddigrwydd. Mae mawr feirniadaeth hefyd ar y Comisiwn Cydraddoldeb Hiliol. Bu penbandit y Comisiwn ar y teledu wedi cwrdd Mynytho yn ymffrostio yn ei bedair iaith – y Gymraeg ddim yn un ohonyn nhw – ac yn creu'r argraff ei fod yn ystyried y Gymraeg fel un o'r llu o ieithoedd estron, ar wahân i'r Saesneg, sy'n bodoli yng Nghymru. Dylasai ddeall bod lle'r Gymraeg yng Nghymru yn gyfystyr ag un y Saesneg yn Lloegr, ac nad oes arlliw o hiliaeth yn ei diogelu. Hiliaeth ydi'r hyn sy'n digwydd yn Bradford.

Dim rhyfedd bod Siôn Jobbins, ymgeisydd Plaid Cymru yng Nghaerdydd, am sefydlu cymdeithas newydd arall i amddiffyn y Gymraeg a chefn gwlad rhag y Comisiwn unllygeidiog yma, sy'n hiliol ei hun yn ei ymwneud â'r heniaith. Ymosodwyd arno am hyn gan Helen Mary Jones o Blaid Cymru a foliannodd y Comisiwn gan wahodd Siôn Jobbins i ddod i'w gweld hi i gael ei argyhoeddi o'i rinweddau. Amgenach o lawer fuasai i Helen Mary Jones ei hun fynd i weld Eleri Carrog yn swyddfa Cefn iddi hi gael ei hargyhoeddi o'r hiliaeth sydd yn y Comisiwn ei hun, ac o'i dallineb hithau.

A deg allan o ddeg i Gwilym Owen am alw yn *Golwg* ar Rhodri Morgan i ymddiheuro i'r ysgolhaig Dafydd Glyn Jones am ei sylwadau sarhaus a nawddoglyd yn *Golwg* ar ei apêl i'r Cynulliad tros goleg ffederal Cymraeg. Rhaid cael ceiliog gwyn i ganu.

HERALD
21 Gorffennaf 2001

Ynghanol y gofidiau sy'n wynebu'r Gymraeg daeth y bygythiad i einioes papur *Yr Herald* yn ergyd ychwanegol. Golygai ei golli na fuasai ar ôl yr un papur newydd yn yr heniaith, ar wahân i'r *Cymro* a'r papurau bro, yn ddefnydd darllen cyson – hyn lle bu degau.

Ar yr *Herald Cymraeg* y dechreuais i ar yrfa newydd-iadurol. Roeddwn wedi golygu, ar ei newydd wedd, gylchgrawn rag elusennol y Coleg ym Mangor a argraffwyd yn swyddfa'r *Herald* oedd newydd brynu papurau'r *Genedl*, a argreffid y drws nesaf ar gwr y Maes yng Nghaernarfon. Printiwyd deuddeng mil o gopïau a

140

werthwyd am ddwy geiniog yr un. Ac fe ofynnodd Meuryn, golygydd yr *Herald Cymraeg* a hoffwn sgrifennu colofn wythnosol i'r papur. Yn efrydydd tlawd mi neidiais at y cyfle. Sgribliais dan yr enw John Aelod Jones, y cymeriad oedd yn gysfennu i'r wasg a greodd Daniel Owen.

Pan orffennais yn y Brifysgol mi es yn syth yn ohebydd yn swyddfa'r *Herald* gan gychwyn yn y gwaelod un yn hel newyddion lleol a symud i Bwllheli i sefydlu argraffiad o'r *Caernarvon & Denbigh Herald*.

Felly mae gen i le cynnes yn fy nghalon i'r *Herald*, sydd, fel *Baner* Thomas Gee gynt, yn fwy na phapur lleol. Ond y *Genedl Gymreig* – tra bu – oedd papur fy nhaid, am ei fod yn hen gefnogwr i Lloyd George fu'n berchennog y papur. Fe'i câi trwy'r post am gan hen geiniog y flwyddyn, rhyw hanner can ceiniog o'r hen bres newydd yma, ond am yr *Herald Cymraeg* yr ysai fy nain am mai un o blant Nanmor ac un o hen gyfoedion Carneddog oedd hi, a'r Hen Garn – a ofalai am y Manion o'r Mynydd yn y papur – a ofalai am holl newyddion godre'r Wyddfa.

Ac o sôn am Garneddog, mae gan y Doethur Bleddyn Owen Huws erthygl ddiddorol yn *Llên Cymru* am lythyrau olaf Carneddog wedi iddo orfod ffarwelio â'i wlad, sy'n dwyn i 'nghof bnawn Sul hydrefol hanner can mlynedd yn ôl fynd i'w gartref uchel yn Eryri gyda Geoff Charles lle tynnodd o'r darlun enwog o Carneddog a Catrin yn tremio am y tro olaf tros y bryniau pell.

Pe gallasai oroesi am bedair blynedd arall buasai'r *Herald* yn gant a hanner oed. Fe'i sefydlwyd wedi dileu'r dreth ar bapur ganol y bedwaredd ganrif ar bymtheg – ar y pedwerydd ar bymtheg o Fai, un wyth pump pump, am geiniog yr wythnos. Yn ei gyfrol *Llenyddiaeth Fy Ngwlad* sylwodd T. M. Jones y dywedid i gylchrediad yr *Herald*, a fu ag argraffiad i ogledd a de Cymru, gyrraedd pum mil ar hugain. Yr oedd deng mil yn llai na hynny yn nes i'r gwirionedd ac, erbyn hyn, yn ei grombil ymgorfforwyd y *Genedl*, ynghyd â'r papurau llai eu maintioli, *Papur Pawb*, *Y Werin* ac *Yr Eco*. Ac ar dro'r ganrif, un o ohebyddion yr *Herald* yng Nghaernarfon yn nyddiau mawr Daniel Rees a chynnar Morgan Humphreys ar y *Genedl*, oedd T. Gwynn Jones pan enillodd ar ei awdl 'Ymadawiad Arthur'. Ac mae'r llu a brentisiwyd ar yr *Herald* yn ymestyn hyd Caradog Prichard a Gwilym R. Jones ac yn rhy niferus i'w rhestru.

Ac oni chyrhaeddodd y papur y pum mil ar hugain bu ganddo gylchrediad sylweddol, cystal â'r *Faner* yr honnwyd yng nghylchgrawn y *Western Mail* bythefnos yn ôl fu'n gwerthu deugain mil – sy'n chwedl noeth. Werthodd yr un papur newydd Cymraeg ddim tebyg a chytunir mai rhyw bymtheg mil a werthodd *Baner* Gee ar ei gorau.

Ond papur sydd *wedi* cyrraedd ei ben-blwydd yn gant a hanner eleni ydi *Y Drych* Americanaidd. Y mymryn lleiaf o Gymraeg, ond mymryn perffaith gywir, sydd ynddo bellach a cheir ei holl hanes mewn cyfrol Saesneg gan Aled Jones a Bill Jones o Wasg Gomer ddechrau Awst.

Fe'i sefydlwyd gan Iolen M. Jones yn un wyth pump un yn Efrog Newydd a'i werthu i nifer o Gymry ymhen tair blynedd a'i olygu gan Jones enwog arall, John W. Jones am ddeuddeng mlynedd ar hugain – Cymro a aned ar fferm Bryn Bychan ar gwr y Bwlch Mawr yn Eifionydd, sydd heb fod ymhell o'r lle y'm ganed innau. Ymgorfforwyd yn *Y Drych*, *Baner America* Scranton, *Y Wasg* Pittsburg a'r *Columbia* Chicago. Golygir yn awr yn fisol o'i chartref gan Mary Morris Mergenthal a ddysgodd Gymraeg.

Ac wedi llawenhau bod ysgwydd yr Hen Gorff tu ôl i achubiaeth yr hen iaith yng Nghymru, mi'ch gadawaf chi efo cwestiwn golygyddol gan y *Western Mail* sef, oni fedr y Cynulliad ofalu am godi cartref iddo'i hun, sut medr o ofalu am gartrefi gwlad gyfan?

HEN FFRINDIAU
25 Awst 2001

Mi fu hi'n bythefnos fawr i filoedd o'n ffrindiau bach – yn bryderus i'r cyfan, yn orfoleddus i lu, yn ddolefus i lai. Dyddiau mawr canlyniadau'r arholiadau A a'r TGAU. Yr oedd yna ddwy o fy ffrindiau bach i yn y gobeithlu. Dwy wyres. Eisoes yr oedd Elinor Gwendolen yn Ysgol Llandaf, Caerdydd wedi sicrhau'r tair gradd: A, A a B i gael mynd i brifysgol o'i dewis, a thro Bethan Mared, yr hoffus ieuengaf oedd hi fore Iau. A chafodd hi yn union yr un graddau TGAU ag a gafodd ei chwaer ddwy flynedd yn ôl – yn cynnwys wyth A, gydag un seren. A roddodd fawr foddhad iddi hi a taid.

Mae'r arholiadau yma, sy'n *ymddangos*, gyda'u graddau uchel, yn rhai haws i mi, yn dal yn gerrig milltir i'r plant, a'r lefel A yn groesffordd bywyd hefyd ac yn fan ffarwelio â phlentyndod a chartref. Pan gychwynnais i ar y

143

sgyrsiau yma – a bydd hynny chwarter canrif ddi-dor yn ôl os medra i ddal ati tan y 'Dolig – doedd gen i 'run wyres fach i'w haddoli. Erbyn heddiw mae Bianca Mari wedi graddio yng Nghaergrawnt, a'i chwaer, Sophy Rhiannon, ar ei ffordd yno. A gydag Elinor yn hwylio i adael Caerdydd fydd yna ddim ond Bethan ar ôl gartref. Troeon yr yrfa.

Ond oddi wrth fy hen ffrindiau bach rhaid i mi droi at un o fy hen ffrindiau mwyaf un – at y Doethur Meredydd Evans. Merêd sy'n bysgodyn arall rhy fawr i'w ddiystyru. Hen gydweithiwr ar *Y Cymro* cyn ei wyth mlynedd o ymweliad ag Unol Daleithiau Phyllis, ei briod athrylith-gar. Ysgolhaig a ymddisgleiriodd yng Nghymru ac America. Cyfaill, cymwynaswr, Cymro – *elitaidd* medd y *Welsh Mirror* anwybodus am un a gychwynnodd ei yrfa yn was bach yn siop y Co-op ym Mlaenau Ffestiniog ac sy'n parhau i gofio rhif aelodau llu o'r hen gwsmeriaid gynt.

Wedi deugain mlynedd a llawer iawn o boenus ystyriaeth anfonodd ei ymddiswyddiad o'i aelodaeth o Blaid Cymru oherwydd annigonolrwydd ei hymlyniad wrth y Gymraeg – a gwnaeth hynny cyn belled yn ôl â'r deuddegfed o Orffennaf, gan lwyddo i gadw'r cyfan yn ddistaw, am mai ei fusnes o a Phyllis oedd hynny, hyd nes i Gwilym ab Ioan ollwng y gath o'r cwd ar Radio Cymru. Ymatebodd Plaid Cymru trwy alw ei resymau yn *bizzare* – eu gair nhw – ond dim ond wedi dweud yn gyntaf, yn fwy *bizzare* eu hunain, mai anghytundeb ar yr agwedd at y melinau gwynt oedd yna. Sy'n eu gadael yn awr gyda phethau llawer mwy na melinau gwynt i'w hwynebu a sylweddoli nad ydi hela pleidleisiau'r di-

Gymraeg ar draul y rhai Cymraeg yn wleidydda derbyniol na phroffidiol.

Yn y pen draw mi fydd yn rhaid troi am iachawdwriaeth i'n hiaith a'n diwylliant – yr ymddiswyddodd Merêd o'u plegid – at y Cynulliad. A phan wneir hynny bydd iddo sialens fwyaf ei fywyd. Oherwydd nid rhyw ddirprwyaeth dawel tu ôl i ddrysau caeëdig fydd y sialens a ragwelir ond torf tu allan i'r drysau yn cynrychioli pob agwedd ar fywyd diwylliannol a chrefyddol y werin Gymraeg.

Pe bygythid trefnu'r fath ymgyrch yn awr ac nid ar ddyddiau mwy tyngedfennol yn agosach at yr etholiad i'r Cynulliad, diau mai'r ymateb fuasai – mae gynnon ni eisoes bwyllgor sy'n ymchwilio i sefyllfa'r iaith a'r diwylliant a rhaid aros am ei adroddiad ryw dro'r flwyddyn nesaf.

Purion felly ydi ystyried y pwyllgor hwnnw a maint y ffydd sydd ynddo fo. Yn un peth rhaid cofio mai pwyllgor ar gyfer diwylliant a chwaraeon ydi o, tebyg i un *Culture & Sport* y Saeson ac, er yr enwir yr iaith Gymraeg fel un o'i bynciau, nid dyna'r pwnc sylfaenol. Mae ganddo gant a mil o bethau eraill i'w hystyried gan gynnwys Llyfrgelloedd, Amgueddfeydd, Y Cyngor Llyfrau ac ati, ac ati.

Ar ben hyn rhaid holi pa gymwysterau arbennig sydd gan yr aelodau a pha mor gynrychioliadol ydyn nhw. Beth ydi eu safiad yn y byd diwylliannol Cymraeg? Faint o ymroddiad i'r achos sydd yna? A phwy mewn gwirionedd ydi aelodau'r pwyllgor yma? Faint ydach chi'n nabod neu wedi clywed amdanyn nhw? Dyma nhw. Gwrandewch: Rhodri Glyn Thomas, Cadeirydd,

145

aelod Plaid Cymru Caerfyrddin/Dinefwr. Dau aelod arall Plaid Cymru: Gareth Jones, Conwy ac Owen John Jones, Caerdydd. Un Rhyddfrydwr: Jennie Randerson, Caerdydd. Un Tori, Jonathan Morgan, Canol De Cymru. Pedwar Llafur: Lorraine Barrett, Caerdydd; Rosemary Butler, Casnewydd; Delyth Evans, Canolbarth ac Alison Halford, Delyn.

Wel – faint o'r rheina sy'n golygu rhywfaint i chi?

BERWI TROSODD
8 Medi 2001

Mae brywes y mewnfudwyr nid yn unig yn dal i ffrwtian ond hefyd yn berwi trosodd yn llawer rhy aml, gyda digon o bobl elyniaethus yma i ffaglu'r tân.

Dydi'r mewnlifiad ei hun ddim yn rhywbeth newydd ond *mae'r* ymwybyddiaeth o faint ei ddifrod a maintioli'r cyhoeddusrwydd a gafodd wedi datganiad gwreiddiol Seimon Glyn. Yn anffodus, fe gymylwyd y sylw ar y mewnlifiad ei hun gan gyfeiriadau afradlon y llwyddwyd i'w rhestru'n rhai hiliol. Ac ar y rheini yr aeth y pwyslais gan rai sydd â mwy o ddiddordeb mewn cynnal breichiau Saeson (sy'n ddigon atebol i ofalu amdanynt eu hunain) nag sydd ganddyn nhw yn einioes yr iaith Gymraeg sy'n rhy egwan i ddal gormod o bwysau.

Wrth dynnu sylw at argyfwng yr iaith ac effeithiau'r mewnfudwyr – problem arall ydi'r un economaidd oesol yng nghefn gwlad, a *nhw* ydi'r gwir ddrwg yn y caws – fe aeth Seimon Glyn a John Elfed Jones a Gwilym ab Ioan a Beca Brown (ac Eifion Lloyd Jones hefyd i ryw raddau)

146

tros ben llestri. A bu dau ganlyniad. Ar y naill law rhoi cyfle i gyhuddiadau o hiliaeth gan aelodau Ceidwadol o'r Cynulliad a'r elfen odreol loerig o'r Blaid Lafur a gafodd y *Welsh Mirror* yn feibl ansanctaidd.

Ar y llaw arall mae'r siarad diflewyn-ar-dafod wedi hoelio problem y mewnfudwyr ar ymwybyddiaeth y cyhoedd gan ddeffro rhai o'n hen sefydliadau i'r perygl, ynghyd â geni mudiad newydd fel Cymuned i brocio'r gydwybod genedlaethol ac i holi tybed a oedd Cymdeithas yr Iaith yn llusgo'i thraed a Phlaid Cymru'n ymdawelu yn y Gymru Gymraeg yn ei hymgais i ennill tir yn y Gymru Saesneg.

Ac yn yr Adroddiad a gafwyd ar dynged Plaid Cymru yn yr Etholiad Cyffredinol, cawn gip ar y ddilema fawr. Dengys nid yn unig y bleidlais helaeth gan y Seisnig yng Nghymru a gollwyd, ond lleihad hefyd, sydd ddim yn anarwyddocaol, yng nghefnogaeth y Cymry Cymraeg. A dyma'r cwestiwn – beth mae Plaid Cymru am ei wneud yn awr? Cadw'n ddistaw am fygythiad y mewnfudwyr i'r Gymraeg, ynte beth?

Mae'r cyhuddiadau o hiliaeth yn erbyn Seimon Glyn, sydd wedi profi'n aflwyddiannus, ac ymddiswyddiad Gwilym ab Ioan wedi gwella peth ar yr hinsawdd, ond y cwestiwn enfawr yn aros – sef sut mae rheoli'r mewnlifiad? Does yna ddim ateb cyfansoddiadol clir, sy'n cryfhau'r ddadl tros Gomisiwn Barnwrol. Caem weld wedyn beth a allesid ei wneud – a hynny heb i'r gair hiliaeth fedru codi ei ben. Gan beidio â disgwyl gormod, os rhywfaint, o gysur o'r pwyllgor afrifed ei ddiddor-debau sydd dan gadeiryddiaeth Rhodri Glyn Thomas. A gan ddiolch nad oes yma, fel yn Belfast, anwariaid hiliol i fomio plant bach ar eu ffordd i'r ysgol.

A fedra i ddim tewi heb dynnu sylw at gyfrol i goffáu'r hen gyfaill newyddiadurol Gwilym R. Jones a fu farw'n ddeg a phedwar ugain yn un naw naw tri. Cyfrol yn y gyfres *Bro a Bywyd*, yr ail ar hugain, wedi'i gofalus baratoi gan y Parchedig Cynwil Williams, sydd newydd ymddeol wedi ei weinidogaeth werthfawrogol yn Ninbych a Chaerdydd. Bu Gwilym R. yn un o'i braidd. Daeth i Ddinbych yn un naw tri naw wedi i einioes *Y Brython*, a olygai yn Lerpwl, ddod i ben.

Roedd Morris T. Williams a'i briod Kate Roberts, wedi prynu hen Wasg Gee a thasg Gwilym R. oedd gweithio i'r *Faner*, cyn dod yn olygydd, a golygu'r papur Saesneg *North Wales Times*. A'i gyflog pan ymunodd oedd pum punt yr wythnos a gododd i chwech. A ddyddiau'i oes welodd y bardd a'r llenor a'r newyddiadurwr a'r cenedlaetholwr tanbaid yma ddim o dda hyn o fyd.

Mae yn y gyfrol anhygoel dri chant chwe deg o luniau a lafurus gasglwyd. Cyhoeddir gan Barddas am un bunt ar ddeg ond pum ceiniog – un arall o gymwynasau Barddas. Mae'r gyfres, a gychwynnodd trwy gofio am T. H. Parry-Williams, yn cynnwys yr un weddol ddiweddar ar ei gefnder Robert Williams Parry yn gampwaith am fod yna cyn lleied o luniau Bardd yr Haf ar gael.

Ac am nad oes gennym, ysywaeth, bapur newydd na chylchgrawn cenedlaethol a rydd i ni fywgraffiadau dibynadwy pan gollwn ein cymwynaswyr, megis a geir gan bapurau Saesneg fel y *Times* a'r *Guardian*, mae cyfrolau *Bro a Bywyd* o werth parhaol.

Y CHWALFA FAWR
22 Medi 2001

Wn i ddim ble i ddechrau na beth yn union i'w ddweud heddiw. Wedi gwylio'r lluniau o Efrog Newydd, lle mae yna wyres i mi, a Washington, a'r dudalen ar dudalen o inc sy'n dal yn y papurau, mae fy mhen i'n troi. Ac mae'r cyfan mor fyd-ysgytwol nes mae'n amhosibl ei osgoi ac, o bosibl, yn anghyfrifol i gau llygaid arno. Dim ond trychineb Aber-fan a ellir ei gyffelybu iddo yng Nghymru gyfoes. A fedrwn ni, prun bynnag, ddim osgoi canlyniadau'r cyfan oll o'r gyflafan fawr. Eisoes mae'r cyfnewidfeydd stoc yn dangos fod economi'r byd yn gwegian a chysgod dirwasgiad yn ymledu. A dau gwestiwn mawr heb eu cyflawn ateb, gan nad yw amheuaeth yn brawf, sef pwy'n union sy'n gyfrifol, a chyn bwysiced â hynny – pam? Ac ar ben hyn mae yna ganlyniadau dialgar na wyddom ni beth maen nhw'n debyg o fod, ym mha le, ar bwy – a fedr esgor ar ychwaneg o erchyllterau y gallasem ni fod yn edifar o'u plegid ddydd a ddaw.

Un peth y medra i gwyno yn ei gylch heb achosi niwed ydi'r defnydd a wneir o'r gair 'terfysgwyr'. Gair mawr sydd ddim y gair iawn. Nid pobol sy'n creu terfysg sydd yma ond pobol sy'n creu braw, nid terfysg. Brawychwyr ydi'r rhain – dyna'r gair. A rhag i ni yma, fel deiliaid y wlad Brydeinig, deimlo'n rhy hunan-gyfiawn gadewch i ni gofio fod gennym ni'n brawychwyr ein hunain yn yr IRA. Brawychwyr mor barchus nes y medr llywodraeth Prydain Fawr gwrdd yn heddychlon â'u cynrychiolwyr i drafod beth a ddylasid ei wneud â'u harfau – heb ddod i unrhyw benderfyniad. A mudiad a fedr gydymdeimlo â thynged yr Americanwyr ar law brawychwyr mwy milain.

Sy'n mynd â ni'n ôl at y cwestiwn – pwy'n union ydi'r brawychwyr a ysgytwodd America gyda'u hawyrennau nhw'u hunain, a pham maen nhw'n gwneud y fath beth. Wna i ddim holi a oes yna raddau mewn brawychiaeth fel y gallesid bod mewn pechod, ond mi fedra i holi a fuasai yna lai ohono fo'n bod pe bai mwy o lywodraethau'n daear yn holi mwy am y cymhellion. Mae anghyfiawnderau gwirioneddol neu ddychmygol yn esgor ar fudiadau milwriaethus cudd i geisio cael meini i'r wal wedi i reswm dewi. Ar raddfa fach cafwyd y *Free Wales Army* a Meibion Glyndŵr yn gweithredu yng Nghymru.

A dyna'r IRA y cyfeiriais atyn nhw eisoes. Mae eu hamcan nhw'n glir. Gweld Iwerddon unedig na fedrant ei gweld yn cyrraedd yn heddychlon, fel na chyrhaeddodd y rhan o Iwerddon a ddaeth yn rhydd.

A phobol na wêl eu dyfnion argyhoeddiadau cenedlaethol neu grefyddol neu wleidyddol yn cael eu sylweddoli'n heddychlon ydi crynswth y byddinoedd o frawychwyr sydd yna ledled daear. Byddinoedd cudd o bobol yn cynnwys rhai y llwyddwyd i'w hargyhoeddi neu i'w perswadio, megis y rhai a gipiodd awyrennau America ac a berswadiwyd mai ffordd yn union i baradwys ydi aberthu eu heinioes eu hunain heb falio am einioes neb arall. A heb ystyried a oes yna fywyd tragwyddol i unrhyw un prun bynnag.

A dyw i Bush, Arlywydd America, gyhoeddi rhyfel yn erbyn brawychwyr damaid elwach na chyhoeddi rhyfel yn erbyn pechaduriaid. Yn un peth, pwy'n union ydi'r brawychwyr, a fedrwch chi ddim cael rhyfel heb ei gynnal mewn gwladwriaeth gyda chanlyniadau difrifol i ddinasyddion diniwed y wlad honno, boed hi'n Afghanistan, neu unrhyw wlad y mae'n gorfod mynd iddi.

Ac Afghanistan yn wlad eang, ddiffaith o ugain miliwn o bobol sydd eisoes â'i dinasyddion a'i dinasoedd yn garpiau wedi i genhedlaeth weld dim ond rhyfel, ac sydd yn awr yn dioddef y drydedd flwyddyn o sychder mawr. Ac fe welid ymosod ar y wlad fel ailadroddiad o'r crwsadau rhwng Mwslemiaid a Christnogion gan fygwth gosod y Dwyrain Canol ar dân, a'r sefyllfa yn Israel yn fwy dyrys nag ydyw.

Mae'r hyn a wnaed i ddinas fel Efrog Newydd yn anfaddeuol. Dinas â'i thrigolion yn hanu o holl wledydd daear. Lle mae'r llwythau'n dod ynghyd. A gwlad a groesawodd ffoaduriaid rhag anghyfiawnder o holl wledydd byd, gan gynnwys Cymru, ac a grëwyd yn un genedl newydd. Mae'n hawdd deall yr alwad am ddialedd wedi'r fath ergyd.

Ond os golyga hynny ladd ychwaneg o ddinasyddion diniwed unrhyw wlad, y cyfan a gyflawnir fydd pentyrru gofidiau ar gefn gofidiau. Dielw yw dialedd.

Pwyll pia hi mewn byd lle mae taranau, mellt a chenllysg, daeargryn – *a* phethau gwaeth.

CORN Y GAD
13 Hydref 2001

Os ydan ni mewn milflwyddiant newydd yr ydan ni hefyd yn yr un un hen fyd. Ac ar bnawn Sul yng Nghymru, ar y seithfed stormus o Hydref, a chyn oedfa'r hwyr na rhaglen S4C ar gyfraniad yr heddychwr mawr George M. Ll. Davies i annibyniaeth Iwerddon, wele ni'n helpu i gychwyn rhyfel.

Un peth cyffredin rhwng y rhyfel yma a phob rhyfel arall ydi hygrededd y naill achos a'r llall fod Duw o'u tu. Ac wedi dweud Duw a helpo Duw mae'n rhaid cytuno hefyd fod y rhyfel yma'n wahanol i'r gweddill. Yn un peth, nid rhyfel a syber gyhoeddwyd rhwng gwladwriaethau sydd yma ond rhyfel ar fath arbennig o bobloedd annelwig a restrwyd yn frawychwyr ble bynnag y maent. Gan ddechrau yn Afghanistan druan dlawd lle credir mai yno y llecha'r pen brawychwr, yr Arab Moslemaidd Bin Laden a ystyrir yn gyfrifol am y weithred fwyaf brawychus a welodd y byd, pan berswadiodd beilotiaid Moslemaidd i gamu i sicrwydd bywyd tragwyddol yn nefoedd Allah trwy hyrddio saith mil o ddinasyddion America i ebargofiant.

Buasai'n annaturiol i'r fath drosedd beidio â gwahodd y gosb eithaf. Ond hyd yn oed wedi cytuno ar bwy oedd yn gyfrifol nid ar chwarae bach y medrid ei ddwyn i'r ddalfa gyda'r wladwriaeth lle llechai yn barod i'w amddiffyn.

Dyna broblem gyntaf America. Problem a wnaed yn un anferthol anoddach trwy'n ogystal ystyried hela'r holl frawychwyr sydd ar chwâl yn hyn o fyd, a'u dal cyn iddyn nhw achosi ychwaneg o niwed. (Hyn heb ystyried ai gyda bomiau a thaflegrau a byddinoedd y mae delio â nhw yn hytrach na thrwy geisio darganfod pa anghyfiawnderau gwirioneddol neu ddychmygol sy'n creu ac ysbrydoli'r brawychwyr cudd yma i ddifodi.) Hynny yw, *os* ydi hi'n bosibl o gwbwl i wneud hynny i bobol sy'n amrywio o Bin Laden i'r IRA.

Cyn dechrau'r rhyfel, neu'r cyrch neu beth bynnag y galwch chi o ar y funud, fe gywir sylweddolodd America fod yna berygl i unrhyw ymgyrch gael ei hystyried, nid yn un yn erbyn brawychwyr yn unig, ond hefyd yn erbyn Arabiaid a Moslemiaid yn gyffredinol – a wnâi'r dasg yn nesaf peth i amhosibl. Gan hynny aeth America, gyda help Prydain, i'r drafferth enfawr o chwilio am gefnogaeth nid yn unig y gwledydd sy'n ffinio ag Afghanistan, ond hefyd y gwledydd Arabaidd a Moslemaidd yn ogystal â gwledydd Ewrop a gwledydd mawr y byd fel Rwsia, China ac India.

Ond cefnogaeth wyliadwrus fu'r un Arabaidd a Moslemaidd. Nid yn unig roedd yna amharodrwydd i helpu i ymosod ar gydwladwyr a chydgrefyddwyr, ond yr oedd yn gosod Pakistan mewn sefyllfa anodd – y wlad yr oedd yn rhaid dod i ddealltwriaeth â hi oherwydd ei hagosrwydd a'i maint, cyn taro ar Afghanistan. Ar ben hyn cafwyd lled-gefnogaeth llywodraethau heb sicrhau cefnogaeth lawn eu dinasyddion.

Felly, cyn tanio roedd yn rhaid orau medrid geisio argyhoeddi dinasyddion Arabaidd a Moslemaidd nad hwy oedd y gelynion ac nad ar eu cefnau hwy y gollyngid y taflegrau a'r bomiau. Ysywaeth, ydi taflegrau a bomiau ddim yn gwahaniaethu. Ddim yn dod o hyd i Bin Laden 'chwaith. O ganlyniad mae hynny o ddealltwriaeth fu yna gyda'r Arabiaid eisoes yn simsanu. A'r ffaith mai America ydi prif gefnogydd Israel, sy'n methu byw mewn heddwch gyda'r Palesteiniaid, ddim yn help o gwbwl. Yn wir mae tynged y Palesteiniaid wedi dod yn destun problem mae'n rhaid ei setlo ar wahân.

Pe bai hynny o ryfel sydd i fod yn cadw tu fewn i derfynau Afghanistan ac yn dod yn fuan i ben mi fuasai yna obaith gweld rhyw fath o heddwch. Yn anffodus, nid dyna'r argoelion, a dyna sy'n mynd i greu craciau yn y gefnogaeth sydd yna, a mawr anesmwythyd i'r bobol fach fel chi a minnau.

Dim darogan y tro yma – mi fydd trosodd cyn y Dolig. Yn hytrach bydd yn rhyfel hir medd Bush a Blair. Medr gymryd blynyddoedd medd Gweinidog Amddiffyn America ac Iain Duncan Smith, arweinydd newydd Torïaid Prydain. Er i Ieuan Wyn Jones lefain am gymod yn y gwaed cyn i bethau fynd yn rhy bell.

Ydi'r nyth cacwn sydd yna yn y Dwyrain Canol yn mynd i ymdawelu am yr holl flynyddoedd milwriaethus yna a fygythir? Gyda datganiadau yn America, sydd ddim yn cael eu croes-ddweud ym Mhrydain, nad yw'n rhaid i'r frwydr yn erbyn brawychwyr ddod i ben yn Afghanistan, ond y gallasai ymledu i Iran a Syria a Libanus ac yn arbennig Irac. A beth fyddai ganddon ni ar ein dwylo wedyn pan fo Seina i gyd yn mygu a'r Dwyrain Canol ar dân?

Rydan ni'n cael y newyddion yn nhangnefedd ein cartrefi gan Radio Cymru, sydd wedi darparu gwasanaeth na bu ei fath gan ohebwyr penigamp yn America ac ar gyrion anial Afghanistan. A'r newydd gorau fuasai clywed eu bod ar eu ffordd adref mewn heddwch.

GEIRIAU'R KORAN
10 Tachwedd 2001

Yr oedd taith genhadol Tony Blair yn y Dwyrain Canol i'w chyffelybu'n ddaearol, ond nid yn ysbrydol, i un o deithiau Paul. Ac yn y Dwyrain Canol mae crud tair o grefyddau mawr y byd, a'r tair yn gysylltiedig â'i gilydd. Crefydd yr Iddewon gyda'r Hen Destament sylfaenol, Cristnogaeth gyda'r Testament Newydd ac Islam gyda'r Koran. A Tony Blair yn gywir pan nododd mai teulu Abraham ydi'r tair. Ond ni ddylid galw'r drydedd yn Fohametaniaeth. Un o ddynol broffwydi Allah oedd Mohamed. Islam, sy'n golygu purder a hedd, ydi'r grefydd. Un sy'n derbyn proffwydi'r Hen Destament fel proffwydi i Allah ac Iesu Grist fel person ond heb dduwdod yn perthyn iddo yntau.

Ond yn wahanol i Grist mae hanes bywyd Mohamed ar gael yn llawn. Chwedlonol ydi'r Nadolig fel dyddiad geni Crist ond mwy ffeithiol ydi'r ail ar hugain o Ebrill yn y flwyddyn pum cant saith deg un oed Crist, dydd geni Mohamed. Bu'n fedrus fel arweinydd carfannau busnes, o'r wlad a elwir heddiw yn Saudi Arabia i Syria, a phriododd weddw oludog oedd biau un o'r mentrau hynny. Bu'r ddau'n briod am chwe blynedd ar hugain cyn ei marw hi a phriododd yntau ag amryw o wragedd eraill ar ei hôl. Bu farw'n dair a thrigain oed.

Ond pan oedd yn ddeugain oed daeth llais oddi uchod

ato yn ei orchymyn i ddarllen. Ond fedrai o ddim darllen nac ysgrifennu. Ac ar ôl hyn daeth yr Angel Gabriel ato a chyflwyno iddo gynnwys y Koran – sy'n golygu y Darlleniad.

Dysgodd y cyfan ar ei gof a dysgodd eraill ganddo y cyfan ar eu cof hwythau gan osod y cwbl yn ddiwedd-arach ar ddu a gwyn yn y Koran i'r grefydd newydd. Ynddo fe geir cyfeiriadau at gymeriadau o'r Hen Destament gan gynnwys Abraham, sefydlydd y llwyth y perthynai Mohamed iddo, ac Ismael, Noah, Dafydd a Solomon, ynghyd ag enw Crist o'r Testament Newydd.

Hefyd ymneilltuodd Mohamed i sefydlu mis sanctaidd Ramadan, mis heb fwyd na diod na rhyw o godiad haul hyd fachlud, sy'n cychwyn ar y lleuad newydd ar y Sadwrn nesaf yn Affganistan ac yn amrywio gyda'r lleuad fel y gwna'r Pasg.

Wynebodd Mohamed ar erledigaeth oherwydd ei grefydd newydd a bu'n flaenllaw mewn brwydrau a ymladdodd trosti.

Fe argymhellir darllen y Koran yn ei Arabeg gwreiddiol, sy'n gryn gamp. Ar wahân i gyfansoddiad weledol wahanol a mwy dyrys yr ysgrifen mae llu o amrywiadau yn ystyron rhai geiriau.

Golygodd hyn i'r Koran gael ei gamgyfieithu mewn mannau i'r Saesneg. Ac fe fu hyd yn oed feirniadu ar Fitzgerald am gamddehongli rhannau o gerdd fawr Omar Khayam yn ei drosiad. Cheisiodd neb, hyd y gwn i, drosi'r Koran i'r Gymraeg ond fe drodd John Morris-Jones gerdd Omak Khayam o'r Berseg i'r heniaith. A yw ei eiriau 'Pe medrwn lywio'r nefoedd fel Tydi?' neu 'Gwell yn y dafarn dy Gyfrinach di, Na gweddi yn y cysegr hebddi hi' yn cywir gyflwyno hynny o ddiwin-yddiaeth Islam sydd yn y gerdd, sydd rhywbeth tu hwnt i mi?

Felly, gan na welais i ymgeision i droi'r Koran i'r Gymraeg, mi fentrais drosi geiriau o ran gynta'r Koran i'r heniaith heb wneud cam â neb gobeithio a chan ddyfalu be'n union ydi ymateb Osama Bin Laden iddyn nhw yn y gwreiddiol. Dyma nhw:

Mae yna rai pobol a ddywed – credwn yn Allah ac yn Nydd y Farn. Ond dydi'r rheini ddim yn credu hynny mewn gwirionedd. Eu bwriad hwy yw twyllo Allah a'r credinwyr. Ond dim ond twyllo eu hunain y maent ac heb sylweddoli hynny.

Pan ddywedir wrthynt – na achoswch helbulon ar y ddaear, meddant hwy: Wel, dydym ni ddim ond yn ceisio sicrhau heddwch. Yn wir i chwi, dyma'r rhai sydd yn achosi helbulon. Ac heb sylweddoli beth maent yn ei wneud.

Ac mi ddychwelaf i i Gymru a'n crefyddau ni. Ac am benodi Archesgob newydd i'r Eglwys Gatholig yng Nghymru a hwnnw'n Sais o esgob galluog o Loegr, heb air o Gymraeg. A fawr neb ond Robyn Léwis gyda gair o gondemniad am y camwri â heniaith y pwysleisiwyd ei hargyfwng i'r Cynulliad gan Cymuned.

Ond bu tri dathliad hefyd. Rhaglen radio ddiddan Sulwyn Thomas yn cwblhau ugain mlynedd gartrefol, deg. A'r cof am ddau gawr hollol wahanol. Iorwerth Peate a sefydlodd trwy ei styfnigrwydd gwaraidd yr Amgueddfa Werin yn Sain Ffagan, ac a aned gan mlynedd i eleni. Ynghyd â Gwenlyn Parry, y bachgen o Ddeiniolen a fu farw ddeng mlynedd yn ôl, wedi gosod y ddrama Gymraeg ar sylfaen gyfoes newydd. Dau yr

oeddwn i yn eu nabod yn dda, gan fy achosi i ddweud –
os mynni glod...

Ac am y ddamwain fawr yng ngwaith dur Port Talbot,
be fedra i wneud ond tristáu gyda chydnabod a
theuluoedd y rhai colledig ac anafus? 'Does yna ofidiau
ar y ddaear?